Je dédie ce livre à tous
les journalistes culturels,
des passeurs essentiels.

Faire œuvre utile
Quand l'art répare des vies
Émilie Perreault

Textes : Émilie Perreault
Direction artistique et design : Nouvelle Administration
Photographie de l'auteure : Andréanne Gauthier
Édition : Emilie Villeneuve
Révision : Sophie Marcotte
Correction d'épreuves : David Rancourt et Vincent Fortier
Coordination : Noémie Graugnard et Marie Guarnera
Illustration de la page 187 : Michèle Boulay – www.micheleboulay.com

Un ouvrage sous la direction d'Antoine Ross Trempe

Publié par :
Les Éditions Cardinal inc.
7240, rue Saint-Hubert
Montréal (Québec) H2R 2N1
editions-cardinal.ca

Dépôt légal : 3e trimestre 2017
Bibliothèque et Archives nationales du Québec
Bibliothèque et Archives Canada
ISBN : 978-2-924646-15-1

Nous reconnaissons avoir reçu l'aide financière du gouvernement du Québec –
Crédit d'impôt remboursable pour l'édition de livres et Programme d'aide à
l'édition et à la promotion – SODEC.

FAIRE ŒUVRE UTILE

Quand l'art répare des vies

Je m'occupe de la chronique culturelle dans une émission de radio d'actualité. Je jouis d'une tribune extraordinaire pour parler d'art à des gens qui autrement ne seraient peut-être pas intéressés par le sujet. Mon segment leur est imposé entre la chronique économique et l'entrevue d'actualité. (Allo, pas le choix de m'entendre !) Chaque fois, je me dis qu'il y a peut-être une mélodie ou une suggestion de pièce de théâtre qui fera son chemin, dans le trafic et la routine d'un matin de semaine.

Je ne suis pas de nature angoissée. Je me répète souvent cette phrase : « On ne sauve pas des vies. » Quand il y a un attentat et que tout le monde passe en mode « émission spéciale », je vais chercher le café pour l'équipe et je la soutiens comme je peux. Parfois, on me demande quand même de faire ma chronique. Parce qu'on se dit qu'à l'autre bout, les gens ont peut-être besoin de souffler entre deux mauvaises nouvelles. L'animateur m'a d'ailleurs baptisée « l'oasis de bonheur ».

Donc, on ne sauve pas des vies. Mais des fois oui.

Des fois, une chanson peut sauver une vie.

Mes amis Justine Laberge et David Bussières, d'Alfa Rococo, m'ont raconté qu'un homme a pris le temps de leur écrire pour leur dire qu'il avait déjà eu des pensées suicidaires. Et qu'en s'attardant aux paroles de la chanson *Les jours de pluie*, il avait changé d'idée.

Rendors-toi
Ce n'est pas encore la fin du monde
Pas encore la dernière seconde
Ce jour de pluie bientôt cessera
Rendors-toi

C'est quand même fou. Un ver d'oreille qu'on a entendu à répétition à la radio. Qui sauve une vie.

De quoi réfléchir à l'importance de l'art au-delà de la simple fonction de divertissement. À sa fonction utile. Ainsi, si on revient à ces journées de *breaking news*, après un attentat, la vidéo que tout le monde partage sur les réseaux sociaux, c'est celle du pianiste qui reprend une chanson de John Lennon près des lieux du drame.

Parce que l'art ne change pas le monde, mais le répare un peu.

J'ai voulu le montrer 20 fois plutôt qu'une, en racontant les histoires de gens du public dont la vie a été marquée par une œuvre, qu'il s'agisse d'un livre, d'un spectacle, d'une chanson, d'un tableau. Et puisque je me compromets dans le premier chapitre, je vous invite à vous poser la question : quelle est l'œuvre qui a été utile dans ma vie ?

Merci de lire ce livre. En espérant qu'il puisse vous être utile.

PETIT MOT DE CINQ LETTRES

Variations énigmatiques

Variations énigmatiques *est une pièce de théâtre d'Éric-Emmanuel Schmitt sur la rencontre improbable entre un Prix Nobel de littérature qui vit reclus sur une île et le journaliste d'un petit hebdo local. Il ne faut pas en dire plus, de peur de gâcher le plaisir de celui qui n'a pas encore découvert cette œuvre.*

J'ai 16 ans. Je suis dans ma dernière année de secondaire, à l'aube des choix cruciaux. En fait, cette époque est en soi une étape cruciale. Ce n'est pas l'âge des demi-mesures.

J'étudie à l'option théâtre, mais je sais déjà que je ne vais pas me soumettre à la torture des auditions pour entrer dans les grandes écoles. Je n'ai pas le talent, ni l'intérêt. En réalité, j'attends impatiemment mes cours de théâtre pour une seule chose : voir les autres. Leurs idées m'emballent. Je suis curieuse de découvrir ce qu'ils proposeront à la fin de chaque cours. J'ai déjà fait mon choix de carrière sans le savoir. Je serai spectatrice professionnelle. Mais allez dire ça à un orienteur...

J'ai deux boulots et assez d'argent de poche pour me payer des folies. Avec deux amies, nous décidons de jouer les grandes personnes en prenant un abonnement pour voir du théâtre au centre culturel de ma ville. Depuis que je suis toute petite, je vois ma mère partir une fois par mois vers Montréal pour honorer son abonnement au Théâtre Jean-Duceppe. Je la regarde se maquiller, mettre quelques gouttes de son parfum *Opium* et partir avec ses sœurs. Moi aussi, je veux le faire. Tout m'enthousiasme dans le cérémonial de cette sortie qui n'est pas encadrée par l'école. J'ai enfin mon autonomie artistique.

Variations énigmatiques n'est pas la première pièce de théâtre que je vois. Et pourtant, on dirait que oui. J'ai 16 ans et une œuvre me rentre dedans comme jamais auparavant. Est-ce que mes amies vivent la même chose ? Est-ce qu'elles sont soulevées autant que moi à chaque revirement de situation ? Est-ce qu'elles sentent la même douce euphorie qui monte en moi alors que j'ai l'impression qu'on s'adresse à mon intelligence et que je dois deviner le sous-texte ?

Je conserve un souvenir très puissant de cette soirée.

Quelques années plus tard, j'ai 25 ans. Comme animatrice télé, je couvre le tapis rouge d'un film dans lequel Guy Nadon tient un rôle. *Small talk* rempli de malaises, comme souvent dans les interminables secondes pendant que le caméraman s'installe. Je me dis qu'il faut oser. J'ai horreur des groupies, mais je dois lui dire à quel point cette pièce m'a marquée. « Je voulais vous dire, M. Nadon, j'ai vu la pièce *Variations énigmatiques* quand j'étais au secondaire et j'ai vraiment adoré. C'était extraordinaire. Bravo. » Ce à quoi il répond : « Ah, merci beaucoup. »

Dans ma tête, je fonds. Je me dis : « Ça y est, il pense simplement que je veux le flatter. Il ne comprend pas. Il ne saisit pas l'importance que cette pièce de théâtre a pour moi. » Mais est-ce qu'un artiste peut deviner la portée derrière un compliment ? Puis-je le blâmer de ne pas entrevoir l'intensité qui se cache sous cet éloge ?

L'histoire me revient en tête quand je décide d'écrire l'ouvrage que vous tenez entre vos mains. J'ai 31 ans. Pour l'occasion, on m'offre la possibilité de faire une entrevue avec l'auteur Éric-Emmanuel Schmitt. Cette fois devra être la bonne.

Sur une large banquette circulaire du chic restaurant attenant à l'hôtel Le St-James, à Montréal, j'entreprends d'expliquer la teneur de mon livre à un homme qui en a vendu des millions. Je me cite en exemple. « J'avais 16 ans quand j'ai vu votre pièce *Variations énigmatiques*. J'ai tellement aimé ça, j'en ai presque eu une épiphanie, je me rappelle encore comment je me sentais pendant la représentation. Et c'est probablement un peu pour ça que je suis devenue journaliste culturelle. Des témoignages comme celui-là, vous devez en recevoir plusieurs. Croyez-vous qu'un livre, une pièce de théâtre peut changer une vie ? Est-ce que vous pouvez le mesurer, ça ? »

Voilà, c'était sorti. Et la réponse de l'artiste a été à la hauteur de l'intensité d'une adolescente qui a un coup de foudre pour une œuvre.

«

Je crois qu'aucun livre ne peut changer le monde, parce qu'autrement, le monde irait mieux. Tout a été écrit pour que le monde aille mieux. Mais un livre peut entièrement changer une personne. C'est ça qui est absolument extraordinaire. Un livre peut déplacer les frontières intérieures d'une personne. Je crois que j'ai pris la plume pour ça. Pour rendre la vie meilleure. Pour faire aimer la vie. Vous savez, la philosophie essaie de comprendre la vie. L'art célèbre la vie. Et nous explique que la vie est intense, belle, même si elle est aussi tragique et cruelle. Mais il faut l'aimer telle qu'elle est d'une façon lucide.

»

Éric-Emmanuel Schmitt a déjà écrit un roman épistolaire sur sa propre expérience d'adolescent exalté. Il y prétend que Mozart lui a sauvé la vie quand il avait 15 ans. Il avait des pulsions suicidaires, et en voyant une répétition des *Noces de Figaro*, il a été ému au point de retrouver le désir de vivre. « S'il y avait des choses aussi belles sur terre, il fallait quand même que je reste un peu », dit-il.

Si Éric-Emmanuel Schmitt reçoit beaucoup de témoignages, c'est davantage pour ses romans que pour ses pièces de théâtre. Son Cycle de l'invisible (six romans jusqu'à présent) aborde les valeurs des grandes religions du monde à travers de petites histoires, comme dans *Oscar et la dame rose*. « Beaucoup de gens m'ont dit avoir lu ce livre lorsqu'ils étaient malades. Et qu'ensuite, ils se sont dit : "Que je guérisse ou pas, je vivrai chaque moment jusqu'au bout." Pour moi, un livre, ça a comme une fonction spirituelle et philosophique. C'est fait pour nous aider à vivre. »

Au fil de notre conversation, l'écrivain en arrive à mettre des mots sur l'essence de mon projet. « Quand j'étais jeune et un petit peu narcissique, en quête de reconnaissance, je voulais qu'on me dise bravo. Puis, très vite, on a cessé de me dire bravo et on m'a dit merci. Et là, je me suis dit : "Il se passe quelque chose." J'ai compris que j'étais là où je devais être et que je faisais bien ce que je devais faire. Mais ce sont les autres qui me l'ont fait comprendre. »

À ce moment-là, j'ai compris. En m'adressant à Guy Nadon, j'aurais dû troquer « bravo » pour « merci ». Un mot de cinq lettres aussi, mais différentes.

« Un "bravo", ça flatte le nombril, mais ça va, il est bien installé, il est là, il ne tombera pas ! *Merci*, ça veut dire "vous avez été utile". Ouf. Vous savez, si je n'avais pas été écrivain, j'aurais été médecin. Parce qu'on a en commun le souci de soigner. Le souci de rendre à la vie. Le souci de la santé, pas seulement physique, mais mentale. Le souci d'être utile. »

LE DEUIL
DE PAPI-BANANE

887

887 *est une pièce qui démontre encore une fois le génie de Robert Lepage : faire se côtoyer l'intime et la grande histoire.*

Le 9 août 2016, un camion est la proie des flammes sur l'autoroute Métropolitaine à Montréal. À bord, Gilbert Prince perd la vie dans des circonstances inqualifiables. L'intensité du panache de fumée qui s'élève au-dessus de la ville n'a d'égale que le chagrin des proches du camionneur. « Ça laisse des traces, un père qui explose », raconte sa fille, Suzanne Prince.

Elle s'appelle Suzanne, mais elle n'a que 33 ans. Les jours suivant le drame, elle s'isole et se coupe de toute communication. Les médias intrusifs l'enragent et elle ne veut surtout pas être en contact avec les images violentes diffusées *ad nauseam*. Elle doit ainsi accepter qu'une grande partie de la population en sache plus qu'elle sur les circonstances de la mort de son propre père. Pour un deuil intime, on repassera. Mais il faut bien que les choses reprennent leur cours un jour. Trois semaines plus tard, Suzanne rouvre sa boîte de courriels pour la première fois. En faisant le ménage, elle tombe sur ce message de son père :

Pour vous deux les amoureux, parce que je suis content que tu aies trouvé l'amour. J'ai hâte que tu m'en reparles.

En pièce jointe, deux billets pour la pièce *887* de Robert Lepage au Théâtre du Trident, à Québec, le 18 septembre 2016 à 15 h.

Elle se souvient alors de cette conversation qu'elle avait eue avec son père au printemps. Il l'avait appelée en sortant de la pièce, alors présentée au Théâtre du Nouveau Monde, à Montréal. « Suzanne, il faut absolument que tu voies ça ! » Suzanne a aussi deux frères et une sœur, mais c'est à elle que son père a envoyé une paire de billets. Ils partageait cette passion. Petite, elle aimait le voir jouer dans des pièces de théâtre amateur. Elle était si fière de lui. L'enthousiasme débordant de son père pour *887* lui revient à l'esprit. « Même ma mère se demandait pourquoi il voulait tant que je voie la pièce. Elle l'avait aimée, mais elle trouvait mon père intense avec cette idée fixe. » La date est encerclée sur le calendrier et Suzanne attend avec fébrilité ce rendez-vous tant souhaité par son papa.

Le 18 septembre arrive finalement. En marchant en silence vers le Théâtre du Trident avec son amoureux, elle ressent déjà l'émotion qui marquera une transition dans son processus de deuil. Un étrange sentiment d'être à cet endroit précis à cause d'un geste que son père a posé de son vivant. « Au début, quand la personne meurt, tu ressens le manque. Mais après, tu te rends compte : "Ce que je fais en ce moment c'est grâce à lui, c'est concret, je marche vers le théâtre. La vie de mon père ne s'arrête pas maintenant. Elle continue à travers moi. Différemment." »

Suzanne verse un torrent de larmes pendant toute la pièce. Dans *887*, Robert Lepage utilise le prétexte de l'apprentissage du poème *Speak white* de Michèle Lalonde pour s'aventurer dans les méandres de la mémoire et rendre hommage à son père chauffeur de taxi, avec une scénographie ingénieuse, des pointes d'humour et de profondes réflexions. Le propos de l'auteur sur son père à lui, la description d'un héros humble et loyal : tout rappelle à Suzanne son paternel disparu.

Mais au-delà des comparaisons, c'est la thématique de la mémoire qui enclenche une réflexion salvatrice pour Suzanne Prince. Robert Lepage a créé ce spectacle à partir de la mémoire subjective qu'il avait de son père. Les souvenirs qu'il met en scène ne relatent probablement pas des événements qui se sont déroulés tels quels, tout s'est transformé avec le temps. « Je suis une personne qui n'a pas de mémoire, dit Suzanne. J'ai de la misère à me rappeler où j'ai mis ma sacoche. Quand mon père est mort, ça m'a angoissée. Je voulais me souvenir de TOUT. De sa voix, de la voix qu'il avait quand il disait telle chose. Mais ce que j'ai, ce qui me reste de lui, c'est une fabrication de mon esprit. Ce ne sont pas des détails, ce ne sont pas des moments précis : ce sont des émotions. »

En revenant du théâtre, Suzanne a ressenti le besoin de parler. C'est normal, son père lui avait écrit : *J'ai hâte que tu m'en reparles.* « Mais là, il n'était plus là pour en parler. Je devais en parler à qui ? Une collègue de travail ne comprendrait pas. Je me suis dit que la seule personne qui pouvait peut-être saisir ce que je voulais dire, c'était Robert Lepage. »

Extrait de la lettre de Suzanne

Dimanche 18 septembre 2016

Monsieur Lepage,

Je suis allée voir 887 cet après-midi au Théâtre du Trident. Et j'avais besoin de vous écrire. Je ne comprends pas trop encore pourquoi ça m'est important.

Le 9 août, un camion-citerne a explosé sur l'autoroute 40. Le conducteur : mon père. Ça fait des dégâts, un père qui explose. Surtout lorsque les médias sauvages s'empressent de souffler sur les braises alors que tu tentes d'éteindre le feu ravageur. L'été, il ne se passe pas assez de choses en politique, vous comprenez...

Le dernier cadeau que j'ai reçu de mon père, c'étaient des billets pour votre pièce. Merci d'avoir fait revivre mon père. Merci de prolonger la vie à travers votre art. De la transcender.

C'est à travers les yeux du public que Robert Lepage comprend mieux ses propres œuvres. « Au début, on a surtout envie de livrer le spectacle pour comprendre de quoi il parle, parce qu'on ne le sait pas vraiment. On fait notre affaire, on n'est pas trop sûr. Puis, à un moment donné, le spectateur commence à te dire de quoi tu parles. C'est le spectateur qui te dit : "Ton spectacle parle de ça et touche les gens à cause de ça." »

Quand on le questionne au sujet de l'utilité de son travail, Robert Lepage répond : « Je ne veux pas paraître prétentieux en disant ça, mais à Londres, sur les affiches de mes spectacles, les théâtres citent des critiques pour vendre le *show*. Et souvent, il y a l'expression « *life changing theater* ». Robert Lepage, du théâtre qui change des vies ! Je ne sais pas dans le détail ce que ça change, mais c'est sûr que ça sert à quelque chose, parce que les gens disent ça de mon travail. »

Et lorsqu'il évoque Suzanne Prince et son père Gilbert, le comédien et metteur en scène devient plus solennel. « La dernière pièce qu'il avait vue, c'était mon spectacle. C'est sûr que pour elle, c'était un moment de catharsis. Ça parle de mon père à moi qui était chauffeur de taxi, son père à elle était camionneur... À un moment donné, ce sont des hasards qui n'en sont pas. Il fallait qu'elle voie cette œuvre. Et je sentais que ça avait comme réglé quelque chose dans son deuil. Dans ces moments-là, on se sent utile à quelque chose. »

Alors Robert Lepage a répondu à la lettre de Suzanne.

Extrait de la lettre de Robert Lepage

26 septembre 2016

Bonjour Madame Prince,

Bien que vous n'attendiez probablement aucune réponse à votre missive, j'ai mis du temps à vous répondre, mais je tenais à le faire.

J'ai été très touché par votre histoire. L'épreuve que vous devez traverser est indescriptible et le fait que votre père vous ait offert ces billets m'honore.

J'ai reçu beaucoup de commentaires et de témoignages depuis le début de la tournée 887 au Québec et en Europe, mais jamais l'un d'eux ne m'a autant atteint droit au cœur que le vôtre.

Avec toute mon affection,

Robert Lepage, metteur en scène

Suzanne a consulté une psychologue pour passer à travers la tempête médiatique de la mort de son père. Mais l'art est venu réparer quelque chose que les larmes versées dans le bureau de la psy, quoique nécessaires, ne pouvaient pas nettoyer. La pièce de théâtre lui a permis pendant un moment de sortir de son drame, mais pas de ses émotions. « Chez le psy, tu pleures, tu grattes le bobo et ça fait du bien. Mais l'art, c'est être à l'extérieur de ce qui est vrai. Ça aussi, ça fait du bien. Parce que ce n'est pas la vraie vie. Parce que ce n'est pas quelque chose de réel. Ça me laisse tout l'espace pour mettre ce que moi je veux. »

Avant de voir *887*, elle avait enclenché un processus artistique dans son deuil, sans être tout à fait consciente qu'elle fabriquait déjà la mémoire qu'elle souhaitait conserver de son père. Incapable de regarder des photos, encore moins celle du signet officiel du salon funéraire, elle a commandé une illustration à l'artiste Michèle Boulay (voir p. 187). « Elle m'a fait un dessin de mon père. Et ce dessin-là, pour moi, c'est tellement plus lui que toutes les autres photos que maintenant, ma photo souvenir, c'est ça. »

Elle sait bien qu'il ne s'agit pas d'un souvenir réel, puisque c'est quelqu'un qui ne connaissait même pas son père qui l'a créé. Mais à la manière de Robert Lepage, Suzanne a aussi façonné son souvenir paternel. « Ce dessin me ramène exactement à l'émotion et à l'amour que j'ai pour mon père. C'est le meilleur souvenir. Mais il est fabriqué. »

YOYO
LA SUMO

Ficelles

Ingrid St-Pierre a écrit Ficelles *le jour où elle a appris que sa grand-mère souffrait d'alzheimer. Elle a composé les paroles et la musique en moins de 10 minutes, comme si la chanson devait simplement sortir d'elle.*

10 janvier 2014, 6 h. C'est un matin de semaine typique. Martin Boudreau, 34 ans, inspecteur de moteurs à réaction, prépare son café, sort de chez lui et s'assoit dans sa voiture. Direction : le boulot. Il en a pour une heure dans le trafic, mais il a fait la paix avec ça. Il préfère voir ce trajet comme un moment pour lui, ce genre de temps personnel qui s'envole rapidement quand on a deux jeunes enfants. Il a sa routine confortable, écoute religieusement la radio pour s'informer. Il accepte paisiblement son sort de banlieusard et ne fera aucune manœuvre dangereuse pour arriver au travail plus vite. Alors qu'il est perdu dans ses pensées, la voix délicate d'une chanteuse qu'il ne connaît pas retient soudain son attention.

Je nouerai des ficelles
À tes souvenirs qui s'étiolent
Et le jour où ils s'envoleront
Moi j'en ferai des cerfs-volants
Mais oublie pas mon nom

La voix faiblit tranquillement pour faire place à celle de la chroniqueuse culturelle. Mais Martin comprend difficilement ce qu'elle raconte tant l'émotion qui l'a envahi est grande, et surtout, inattendue. Il se sent happé. Comme si quelqu'un venait de mettre le doigt sur un truc qui était enfoui en lui. Il entend des mots qu'il connaît bien : *alzheimer* et *grand-mère*. La chanteuse s'appelle Ingrid St-Pierre et elle continue de chanter en sourdine. Il entend au loin des mots qui lui font du bien.

Tes souvenirs d'avant
Tu sais je veillerai sur eux
Je les rattraperai au vent
Je te raconterai si tu veux

C'est plus fort que lui, les larmes lui montent aux yeux. Et pourtant.
Ça fait déjà cinq ans que sa grand-maman a reçu son diagnostic. Le choc
n'avait pas été trop brutal, puisqu'il savait déjà en observant son comportement changeant que quelque chose clochait. Il ne se souvient pas d'avoir
pleuré. Mais ce matin, rien à faire. Quelque part sur l'autoroute, entre la
maison et le travail, il pleure des souvenirs qu'il aimerait pouvoir figer.
Il pleure parce que quelqu'un vient de nommer une chose qu'il ne savait
même pas qu'il ressentait au fond de lui.

Sa grand-maman Yolande, Yoyo comme il l'appelait, c'était sa deuxième
mère. Cette phrase se conjugue à l'imparfait, car même si elle est toujours
vivante au moment où il entend la chanson, elle est aussi un peu déjà partie.
Chaque fois qu'il lui rend visite au centre où elle a été placée, Martin a
l'impression de se faire mal. C'est comme s'il rendait visite à un corps mais
que l'esprit n'y était plus. Et le pire, c'est que chaque rencontre efface un
peu plus les images qu'il essaie de conserver intactes. Les bons et beaux
moments. Comme quand, petit, il se faufilait par le balcon commun qui
reliait l'appartement de ses parents à celui de sa grand-mère.

Mais le matin du 10 janvier 2014, il a trouvé une façon de ne plus laisser
les souvenirs s'éroder. En y mettant des ficelles.

**Je t'écrirai que je t'aime
Partout dans la maison
Et si tu m'oublies quand même
Juste en dessous y aura mon nom**

C'est un euphémisme de dire que le texte de *Ficelles* a touché le cœur de beaucoup de gens. Tellement que la chanteuse console parfois des spectateurs après un concert. « Souvent, quand je rencontre des gens après le *show*, ils sont en larmes. Et ils ne savent pas trop pourquoi. Ils me disent : "C'est un beau spectacle, mais je comprends pas pourquoi, j'arrête pas de pleurer", raconte Ingrid St-Pierre. Quand j'écris une chanson qui me touche beaucoup, je suis souvent en larmes. Si moi je me sens comme ça, peut-être que ça se capte quand je chante, et que ça provoque ce genre de réactions. »

Martin Boudreau n'a pas le profil type d'un fan d'Ingrid. En fait, après l'épiphanie vécue en entendant *Ficelles*, il a écouté ses autres chansons, mais aucune n'est venue le rejoindre autant. Il faut dire que les mélodies planantes de la chanteuse s'insèrent difficilement entre le rap d'Eminem et la musique métal de Disturbed.

« Ne lui dis pas ça ! », me lance-t-il en riant au téléphone. On se parle pour la première fois, trois ans après ce matin de janvier. Mais Martin a déjà entendu ma voix. « Tu as ton rôle à jouer dans cette histoire. C'est dans ta chronique à la radio que j'ai entendu la chanson[1]. »

Martin m'explique qu'il n'est pas du genre à pleurer en écoutant une chanson. Mais...

« Au moment où tu as fait ta chronique, j'avais le cœur gros. C'était dans les derniers bouts où ma grand-mère s'en allait. Elle était de moins en moins lucide. C'est comme si la chanson avait mis le doigt juste à la bonne place, au bon moment. Comme pour me dire : "OK, laisse ça sortir. Accepte ce que tu ne peux pas changer. Parce que t'es pas tout seul qui vit cette situation. Et il y a quelqu'un qui a réussi à faire quelque chose de beau avec ça." »

[1] Petite parenthèse ici. Ma définition de « faire œuvre utile » ne pourrait être mieux illustrée que par cette heureuse coïncidence. Il n'y a rien qui me comble autant que de savoir que des gens ont découvert des œuvres grâce à mon travail. Fin de la parenthèse; je reprends maintenant mon rôle de courroie entre l'artiste et le public.

Curieuse d'en savoir plus sur cette fameuse grand-mère, j'ai demandé
à Martin quels souvenirs il aurait voulu attacher à une ficelle.

«

**C'est tellement personnel, et en
même temps tellement anodin !
Quand j'étais *kid,* j'aimais faire
de la lutte avec ma grand-mère.
Elle faisait semblant d'être un
sumo, elle me soulevait de terre
et on jouait. Ces souvenirs-là,
c'est de l'or.**

»

Une grand-mère lutteuse, ça marque un esprit. Comme ils étaient voisins, c'était une présence quotidienne dans sa vie. Lui viennent aussi en mémoire des moments plus difficiles. « Ma grand-mère était dépressive. Je lui avais fait un bricolage en 2ᵉ année. C'était un cœur, et dessus j'avais écrit : *Seigneur, s'il vous plaît, aide ma grand-mère à guérir de sa maladie-de-dépression*. Elle l'a toujours gardé jusqu'à ce qu'elle parte vivre dans un CHSLD. »

Il aurait aimé mettre la main sur ce souvenir, mais il a été incapable de le retrouver dans les nombreuses boîtes où la vie de sa grand-mère a été empaquetée. Et même s'il n'est pas croyant, il s'est surpris à invoquer le Seigneur comme le petit Martin de 7 ans. « Elle a reçu son diagnostic en 2009 et elle ne parlait plus depuis 2015. Je te dis pas le nombre de fois où j'ai prié le bon Dieu pour lui demander : "Peux-tu venir chercher grand-maman pour lui donner un *break*?" »

C'est finalement le 27 décembre 2016 que son corps a rendu l'âme.

Martin n'a pas voulu imposer « sa » chanson pour les funérailles. De toute façon, il avait déjà son rituel. Ça se passe tous les 14 décembre, jour de l'anniversaire de sa grand-maman Yoyo. « Quand les enfants sont couchés, je vais dans mon bureau, je ferme tout et j'écoute *Ficelles* avec mon petit verre de vin ou une bière. Et je pense à ma grand-mère. Cette chanson-là me ramène à un instant précis figé dans mon esprit. Ça me fait du bien de me rappeler comment je me sentais au moment où je l'ai entendue. »

Comme bien des artistes québécois, Ingrid St-Pierre passe autant de temps sur scène à donner des spectacles qu'à rencontrer son public après les prestations. Dans un langage dénué de sensibilité, on pourrait appeler ça le service après-vente. Mais l'image ne convient pas aux rencontres chargées en émotions qui surviennent chaque soir.

La chanteuse a même dû apprendre à développer une enveloppe protectrice pour traverser ces moments bouleversants où les gens viennent se confier. « Au début de ma carrière, je me rendais compte que j'avais de la peine pour eux. De la peine profondément. Je me suis dit : "OK, il ne faut pas que tu te laisses trop atteindre, ni par les beaux commentaires, ni par les plus tristes." Sinon je n'aurais pas pu continuer à faire ça. C'est comme si un psychologue s'imprégnait de la douleur de tous ses clients. À un moment donné, il tomberait malade. En même temps, je fais de la musique par plaisir, mais aussi parce qu'il y a quelqu'un au bout qui écoute et que ça fait écho dans sa vie. C'est ça qui est important. »

Elle a tout entendu à propos de sa pièce *Ficelles*. Parmi les nombreuses histoires qui l'habitent, elle nous dévoile celle-ci : « Je me souviens d'un groupe de dames d'une cinquantaine d'années, des amies un peu fofolles, c'était *leur* sortie. Il y en a une qui est venue me jaser après le *show*. Je lui ai parlé un petit bout de temps et elle m'a dit à quel point le spectacle lui avait fait du bien, qu'elle adorait *Ficelles*, que c'était sa chanson préférée. Et elle est partie avec ses amies. Puis, une autre madame du groupe est revenue me voir. "La raison de notre sortie de filles ce soir, c'est parce que la femme à qui tu viens de parler est atteinte de la maladie d'Alzheimer. C'est probablement la dernière sortie qu'on fait ensemble parce qu'elle commence à en perdre un peu plus et elle peut moins sortir. »

On ne soupçonne pas la charge émotive que peuvent absorber les artistes. La frêle Ingrid porte sur ses épaules des récits aussi magnifiques que troublants. Même si elle s'est forgé une coquille au fil des ans, elle pleure encore à chaudes larmes quand elle reçoit une vidéo d'un bébé naissant qui écoute sa musique. « Souvent, des mamans m'écrivent pour me dire qu'elles m'ont écoutée tout au long de leur grossesse et que c'est ma voix qui endort leurs enfants », dit-elle, émue.

Des mamans endeuillées lui écrivent aussi pour la remercier d'avoir fait partager sa chanson *Monoplace*, qui parle de deuil périnatal. « Quand j'ai vécu ma fausse couche, on m'a dit que plusieurs grossesses finissaient comme ça, une sur quatre. C'est énorme. Et je n'en avais jamais vraiment entendu parler à l'époque autour de moi. Je me disais : "Mon Dieu, le nombre de filles qui doivent vivre ça, toutes seules." J'ai d'abord écrit une chanson là-dessus pour moi; je ne voulais pas la mettre sur l'album. Finalement, je l'ai mise. »

J'aurais voulu que tu t'éternises
Que tu prennes un peu toute la place
Que tu habites mes chemises
En pointu dans le monoplace
[...]
Y a pas de requiem assez grands
Pour tes quelques centimètres

Si un jour vous voyez Ingrid en spectacle, dites-vous que sous son apparence délicate se cache une force inébranlable. C'est l'écho de tous les mots et les maux qu'elle porte et incarne dans sa poésie bienfaisante.

LA POSSIBLE LÉGÈRETÉ

L'enfant mascara

L'enfant mascara *est un roman inspiré d'un fait divers survenu aux États-Unis en février 2008. Larry, 15 ans, souhaitait se faire appeler Leticia. Il a été abattu par un camarade de classe à qui il avait fait une déclaration d'amour. Une histoire tragique qui gagne en humanité sous la plume de Simon Boulerice.*

L'école secondaire. Ce lieu est marquant, formateur, parfois destructeur, souvent tout ça à la fois. Pourquoi y retourner? C'est la question que se pose quelquefois Simon Boulerice quand il y fait une performance théâtrale, dansant le ballet sur un air de Whitney Houston, et qu'il sent les regards fuyants de certains ados dans la salle. Ceux qui remontent leur capuchon, baissent la tête pour ne pas voir que devant eux, un homme danse et se sent bien. Comme si donner du crédit à ce qui se passe sur scène signifiait qu'on est homosexuel. À l'âge où on ne cherche qu'à faire partie du lot, pourquoi tout gâcher en démontrant qu'on apprécie une performance artistique exaltée?

Mais
Simon Boulerice danse
et se fout des regards.

Pourquoi?
Parce qu'il attend.

Il sait qu'il y a toujours un jeune qui viendra après le spectacle ou la conférence, selon l'activité du jour. Discrètement, quand tout le groupe sera parti, un ado lui dira quelque chose comme : « Je ne pensais pas que ça se pouvait voir ça sur scène. Je ne pensais pas que ça se pouvait être aussi bien. » En général, il ne dira pas : « Moi aussi je suis gai. » Juste : « Je vois que tu es complètement toi-même et je vois que c'est possible d'être bien en étant soi-même. »

Aujourd'hui, cet ado, c'est Adrienne. Elle a bu les paroles de l'auteur, qui s'est présenté à la bibliothèque de son école pour offrir une conférence sur l'écriture de roman devant deux classes de français de 4e secondaire. Elle ne s'est pas gênée pour poser des questions et lever la main à de multiples reprises. L'écriture, c'est sa vie. Elle se réveille le matin, va à l'école et passe le plus clair de son temps à écrire pendant ses cours. Elle ne fait pas ses devoirs. Elle a des notes correctes et ça lui suffit. Dans ce cas-ci, la professeure de français les avait prévenus que la lecture du roman *L'enfant mascara* n'était pas obligatoire, mais elle l'a dévoré en deux périodes. Puis, elle a rédigé une critique qu'elle souhaitait remettre en mains propres à monsieur Boulerice après sa conférence. Ne voulant pas rater son autobus, elle n'a pas eu le temps de lui dire de vive voix pourquoi elle avait tant apprécié son livre. Il comprendrait en lisant la lettre qu'elle lui avait remise avant de s'en aller.

C'est que même la professeure d'Adrienne ne sait pas. Ne sait pas qu'elle s'appelle Adrienne.

À l'école, même à la maison, aux yeux de tous, elle est un garçon de 15 ans. Depuis quelques mois, au lieu de faire ses devoirs, elle fréquente une communauté virtuelle de transgenres qui comprend ses interrogations. Son cheminement n'est pas encore terminé et sa décision de changer de genre n'est pas irrévocable. Mais force est d'admettre qu'elle s'est sentie bien de signer sa lettre du prénom qu'elle a choisi en l'honneur de la veuve du marquis de La Fayette. « J'aime beaucoup l'histoire. C'est un beau prénom, Adrienne. Ça a une *vibe* historique, je trouve. »

Aussi emballée était-elle à l'idée de rencontrer un auteur, elle a d'abord craint la lecture de *L'enfant mascara*, qui se termine par le meurtre d'une personne transgenre. Est-ce que ce livre la déprimerait trop ? « En lisant la deuxième partie du roman [quand Larry devient Leticia et s'habille en fille à l'école], j'avais un gros sourire tout le long, même si je savais que Leticia allait se faire tuer. Juste à voir la façon dont son entourage l'acceptait comme elle était, ça m'a donné de l'espoir. Même si c'est une histoire triste, une histoire lourde, j'y ai trouvé beaucoup de bonheur. Quand j'ai fini le livre, j'avais le goût de m'affirmer plus. »

Simon Boulerice, lui, est renversé par l'accueil que reçoit ce roman depuis sa parution. Il admire le courage des professeurs qui le mettent au programme et se réjouit de rencontrer de plus en plus de jeunes qui s'affirment. « Je ne pensais jamais voir autant d'adolescents trans. Tout a évolué en moins d'un an. » La lettre d'Adrienne l'a touché et a confirmé une fois de plus la pertinence de ses visites dans les écoles secondaires. « Ce sera toujours plus facile d'aller dans une classe de 4e année du primaire pour parler d'un livre comme *Edgar Paillettes* [l'histoire d'un petit garçon excentrique vu par son grand frère qui se sent invisible]. Mais au secondaire, mon sentiment d'utilité est plus évident parce qu'il est plus ciblé. Ce que je dis dans mes présentations peut carrément ranimer un jeune. Quand je reviens chez moi et que je reçois leurs messages sur Facebook, je vois à quel point ça résonne en eux. »

Pour Adrienne, l'œuvre utile de Simon Boulerice dépasse la thématique transgenre abordée dans *L'enfant mascara*. C'est l'écrivaine en elle qui a été marquée par cette rencontre. « On peut dire que ce roman a changé ma vie d'une certaine façon parce qu'il me donne un modèle d'écriture. Je vois que c'est possible de parler d'un sujet sombre sans pour autant être lourd et déprimant. » Elle songe aussi à une carrière en politique, même si à son avis, l'art est parfois plus efficace pour passer des messages. « J'ai lu *Les misérables* très tôt dans ma vie. Ça a éveillé ma conscience sociale et politique, que je veux exprimer de façon concrète. D'un côté, on peut faire des discours comme Martin Luther King. Mais de mon point de vue, c'est plus facile de passer un message à travers un livre, comme Victor Hugo a pu le faire. Ça ajoute une nouvelle dimension quand un livre est bien écrit. C'est une histoire fictive, mais qui est vécue par beaucoup de personnes, au fond. »

Des histoires fictives qui brassent de vraies émotions, c'est la spécialité de Simon Boulerice.

«

À la base, quand j'écris,
je n'ai pas des intentions
nécessairement nobles. Je n'ai
pas envie de bouleverser les
gens. C'est bizarre que je dise ça.
C'est vraiment quelque chose de
très intime au départ. J'essaie de
me réconcilier avec moi-même,
de me courtiser. Je fais des deuils
par l'écriture, par la création.
Quand j'ai terminé et que je
considère que ça a un écho,
là je publie l'œuvre.

»

Cela donne par exemple l'album jeunesse *Les monstres en dessous*, sur le thème de l'énurésie. « L'année de mes 9 ans, une nuit sur deux, je mouillais mon lit. La honte ne me quittait plus. Même quand je prenais ma douche le matin, j'avais l'impression que l'odeur restait. J'ai écrit là-dessus pour faire la paix avec cette année qui a été difficile pour moi. Ce n'est vraiment pas séduisant comme sujet, mais je l'ai traité avec humour. Quand je me présente en classe, je suis transparent avec les élèves. Je leur dis que je rêvais que j'allais aux toilettes mais que je n'y allais pas, ce fameux rêve qu'on a tous fait. Et là ils s'exclament : "OUI ! Ça m'est déjà arrivé !" Puis, à la récréation, il y a souvent un élève qui vient me voir et me chuchote : "Je fais encore pipi au lit." C'est une des choses qui me bouleversent le plus. Je me reconnais profondément dans ce ti-cul qui me confie son secret. Je lui dis que ça va passer. »

La sérénité de Simon Boulerice est aussi inspirante que sa passion pour la lecture. C'est un message qu'il veut absolument transmettre dans toutes ses rencontres avec les élèves. « Je leur parle de création. La création est accessible. Déployer son imaginaire, c'est toujours payant, pour toutes les carrières. Je leur dis que j'adore regarder des films, que ça me rend heureux, que je mets alors un peu mon cerveau à *off*. Puis je leur explique que si je ne faisais que ça, mon imaginaire serait bancal. Lire nous oblige à remplir les brèches, à colmater les trous avec notre esprit. On a tout à combler. Ce travail est important. Quand tu finis un livre, t'es plus fier de toi. »

À ce sujet, il n'a pas à convaincre Adrienne, qui est déjà vendue à sa cause. Elle a d'ailleurs recommandé la lecture de *L'enfant mascara* à sa mère. « Ça m'a fait penser à son auteur préféré, John Steinbeck, qui a écrit *Les raisins de la colère*. Je trouve que c'est comparable : ce sont deux histoires sombres écrites avec une très belle légèreté. »

AVOIR UNE VOIX

Femme ta gueule

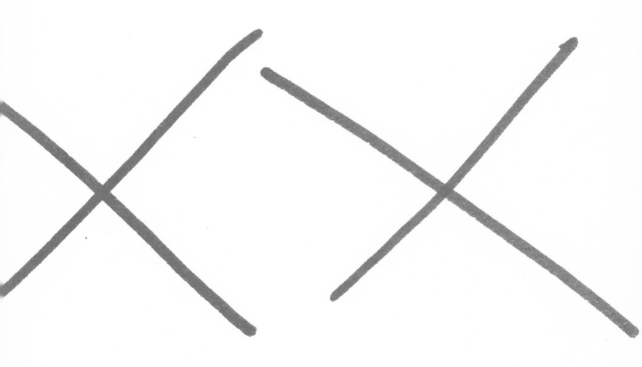

Mariana Mazza est une humoriste dotée d'une énergie qui n'a d'égale que sa grande gueule et son désir de s'assumer. Née d'une mère libanaise et d'un père uruguayen, elle est devenue la voix de bien des jeunes femmes qui refusent la censure.

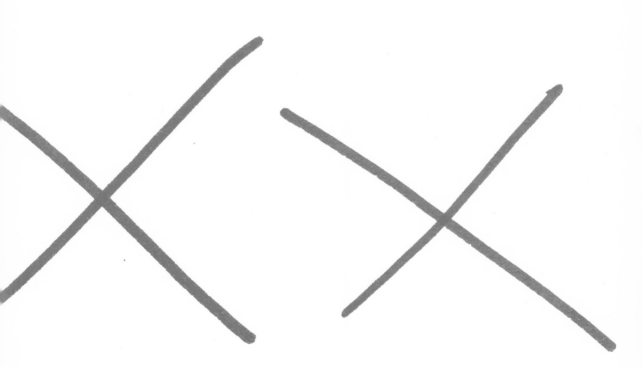

Née en Irak, Hoda Hassan est arrivée au Québec à l'âge de 8 ans. C'était pendant la crise du verglas, en 1998. Un premier contact assez fulgurant avec sa terre d'accueil. Le climat n'était malheureusement pas la seule épreuve qui l'attendait. Sa mère est décédée d'un cancer peu après leur immigration, la laissant seule avec son père et ses deux jeunes frères. Mais Hoda était une petite fille forte. Son père l'a élevée en lui disant qu'elle devait être indépendante, faire des études et ne jamais se fier à un homme. Elle rêvait d'être anthropologue et de faire le tour du monde. En attendant, elle prenait soin de ses frères comme une deuxième maman, pendant que son papa travaillait d'arrache-pied pour leur offrir la vie dont il avait rêvé pour eux au Canada.

Puis, le père de Hoda s'est remarié lorsqu'elle avait 14 ans. C'est à ce moment qu'elle a commencé à porter le voile. Qu'elle a dû commencer à le porter, en fait. Une nouvelle dévotion religieuse s'est emparée de la famille qui, jusque-là, n'était pas très pratiquante. Du jour au lendemain, le discours portant sur la femme libre a été remplacé par une version beaucoup moins libérale : sa place sera à la maison. Il faudra qu'elle apprenne à satisfaire tous les besoins de son futur époux, parce que son but dans la vie sera dorénavant de se marier. Un changement de programme contradictoire et difficile à avaler. Si bien qu'à l'âge de 17 ans, Hoda annonce qu'elle ne portera plus le voile. Parce qu'elle est au Québec, qu'elle sait que la société prône le libre choix et qu'elle a une voix.

Cette décision ne fait évidemment pas la joie de son père. Mais le débat est rapidement écarté quand Hoda apprend que l'un de ses frères a été blessé dans un attentat, alors qu'il visitait leur famille en Irak. Son petit frère, qu'elle considère comme son bébé, dans un hôpital à l'autre bout du monde. Hoda n'hésite pas une seconde à aller le rejoindre. En transit à l'aéroport de Londres, elle appelle sa tante pour lui confirmer que le vol s'est bien passé et qu'elle sera bientôt au pays. La réponse qu'elle reçoit est aussi glaciale qu'un jour de verglas.

«

Fais demi-tour,
je ne veux pas
que tu viennes ici.

»

Quand elle se remet du choc et demande à sa tante pourquoi, celle-ci lui répond qu'un mariage a été arrangé pour elle. Si elle vient en Irak, elle ne repartira plus. Jamais. Cette histoire d'attentat est fausse. C'était simplement une façon de l'attirer là-bas. De lui faire embrasser de force un destin qu'elle refuse.

Elle se retrouve donc, à 17 ans, en transit à Londres, entre son pays natal et son pays d'adoption, entre une vie qu'elle ne souhaite pas et une famille qu'elle ne reconnaît plus. Mais Hoda est une fille forte. Quand elle raconte ce moment, elle insiste sur une chose : « Ma tante m'a sauvé la vie, complètement. » Elle est revenue au Québec.

Le retour n'a pas été facile. On lui a accolé l'étiquette de honte de la famille. « J'avais enlevé mon voile, je vivais seule, c'était mal vu par la communauté. » Ne voyant pas d'avenir serein à Montréal, Hoda met le cap sur Gatineau, pour un deuxième exil. « Je suis partie. Je n'avais pas d'argent. Il y a eu des problèmes avec mon père; j'ai eu un mandat pour l'empêcher d'entrer sur le terrain du cégep parce qu'il essayait tout le temps de venir me dire que je faisais une erreur. Mais à cause de cette situation, j'ai rencontré des gens extraordinaires. C'est grâce à mes amis si j'ai réussi à me remettre sur pied. »

Ce qui est frappant chez Hoda, c'est qu'elle déballe son histoire d'une façon complètement assumée, qui n'inspire jamais la pitié, seulement le respect de ses convictions. Elle fait même de l'humour quand elle décrit ce à quoi elle ressemblait à l'adolescence. « C'était la totale, je n'avais pas le droit de faire la moindre modification pour être belle. Je portais des longues robes, j'avais un monosourcil, j'avais une moustache : j'étais laide ! (Rires.) Maintenant j'ai 26 ans, deux sourcils et pas de moustache ! »

Malgré son moral d'acier, il lui est arrivé de douter. Particulièrement dans les moments où elle tentait de reprendre le dialogue avec son père. Elle se souvient qu'après une discussion en particulier, c'est l'humour de Mariana Mazza qui l'a ragaillardie alors qu'elle regardait des clips sur le Web. Une jeune femme qui n'a pas peur des mots. Qui s'assume. Comme Hoda. « Mariana disait : "MOI je m'en FOUS de ce que vous pensez, ça c'est moi." Et je me suis dit : "Moi aussi, je m'en fous !" Et je voulais juste la remercier parce que c'est son discours qui m'a fait réaliser que mes choix étaient les bons, que j'avais bien fait d'essayer de changer les mentalités dans ma communauté. » Hoda s'est reconnue dans la valorisation de la place de la femme dans la société, sans peur d'être jugée.

Elle a donc écrit un court mot à Mariana pour la remercier. Et l'humoriste a été si touchée qu'elle l'a intégré à son spectacle *Femme ta gueule*, dans un passage où elle lit des messages louches qu'elle reçoit sur Facebook. Celui de Hoda vient clore le bal, sur une note d'espoir et d'humanité.

> *Salut, je voulais juste te dire comment tu m'inspires et à quel point tu me rassures dans ma vie de tous les jours. J'ai 25 ans et il y a quelques années j'ai décidé de faire fuck ma religion (j'étais voilée et mon père allait me « shipper » en Irak pour me marier). J'ai toujours eu un doute à savoir si j'ai bien fait d'être on my own et de laisser ma famille pour être un être à part et devenir une femme qui a une voix. En tout cas, tout ça pour dire merci de me donner ce petit courage de continuer pis de lutter pour chaque femme sans voix ! ! ! Merci merci et continue d'être un excellent modèle.*

Hoda a maintenant envie de prendre la parole.

«

Avant, ça me rendait mal à l'aise que les gens connaissent mon histoire. Maintenant, j'ai envie de la faire partager à des femmes de la communauté musulmane. Si c'est ça que tu veux dans la vie et que tu crois à la religion, *good for you* ! Mais je sais qu'il y en a qui ont peur de sortir de leur communauté et d'être perdues. Je peux leur montrer que je ne suis pas pauvre, que je ne suis pas dans la rue. OK, je ne suis pas là où je pensais être à l'âge que j'ai. Mais c'est correct. Je suis mieux, je suis un être humain avec une personnalité que je peux montrer au monde. Et ce n'est pas la personnalité qu'on m'a dit d'avoir.

»

La carrière de Mariana Mazza est aussi étourdissante que peut l'être une discussion avec elle. En peu de temps, elle a su s'imposer dans le milieu artistique en faisant rire et en ne s'excusant surtout pas d'exister. Mariana, c'est une énergie brute, une urgence de tout dire, une affirmation de soi tellement directe que ça peut désarçonner. « Soit on m'adore, soit on me déteste. C'est rarement : "Oh moi elle me fait rien !" Je suscite de l'amour ou de la haine. »

Lucide, Mariana a fait le choix d'utiliser l'humour pour faire entendre sa voix. « Faire de l'humour, c'est la seule façon que j'ai trouvée de parler sans qu'on m'interrompe. J'aime parler, j'aime raconter, j'aime faire vivre des émotions. Pas juste faire rire. »

Celle qui revendique haut et fort le droit d'être comme elle est sans compromis n'est pas sans paradoxes. Quand je lui demande ce qui fait qu'elle se sent utile comme artiste, elle répond sans détour que c'est lorsqu'elle réussit à faire changer quelqu'un d'idée.

«

Je vais pas te "bullshiter".
Ma paie c'est pas les gens qui
m'aiment. Mon métier c'est
pas de satisfaire des gens.
Mon métier c'est de faire réagir
des gens pour les divertir dans
leur vie. Les gens se sont levés,
ils sont allés travailler, ils ont
fait leur souper, maintenant ils
allument la télé pour être
divertis. Moi je fais partie de ça.
Donc moi je veux pas que tu me
dises "t'es belle". Je veux que
tu me dises "je ne t'aimais pas,
tu as dit telle phrase et merci j'ai
changé d'idée". Là je me sens
utile, mon complexe de fille qui
parle trop et qui n'a rien à dire
vient de faiblir.

»

Oui, vous avez bien lu le mot *complexe*. Parce que pour Mariana, avoir une voix qui porte haut et fort, ça peut aussi vouloir dire ne pas être prise au sérieux. « Quand tu prends de la place, t'es pas crédible parce que les gens pensent que t'es pas intelligente. J'ai eu 97 en moyenne tout mon secondaire, je travaille fort et je lis. Mais j'aime parler. J'ai été complexée par des gens qui m'ont dit de fermer ma gueule, des gens qui m'ont dit que je voulais juste de l'attention. Mais c'est pas ça. C'est juste que j'aime vraiment m'exprimer. »

Son aisance à s'exprimer lui attire d'ailleurs un grand lot de confidences.

Et même si la paie de Mariana n'est pas de se faire dire qu'elle est aimée, le message de Hoda a une place particulière dans son cœur. Parce que sa prise de parole en inspire d'autres.

LE PARATONNERRE

Sans titre

Marc Séguin est un peintre qui réalise des tableaux de grandes dimensions dont les propositions plastiques sortent de l'ordinaire.

Alice. Ce n'est que du beau. Comment peut-il en être autrement ? Ce petit bout de vie est le prolongement de deux personnes qui s'aiment passionnément. Profondément. Des amoureux qui se serrent fort dans leurs bras. Qui prennent le temps de se dire des choses signifiantes. À l'aube de l'accouchement, d'un nouveau tournant après cinq ans de vie commune, Pierre et Annick ont l'enthousiasme fébrile des adolescents qui ne veulent pas raccrocher au téléphone. *I love you,* texte-t-il avant d'entrer dans le chalet, alors qu'ils viennent tout juste de se le dire de vive voix lors d'un appel.

C'était le 2 mars 2011. Alice est née le 9 mars 2011. Entre les deux moments : sept jours. Et un monde qui bascule dans l'incompréhension et l'absurdité.

Pierre est retrouvé sans vie le 3 mars. À 44 ans. Tué par balle. Il a surpris un cambrioleur. Mauvais endroit au mauvais moment. Ou rendez-vous inévitable avec sa destinée. Il n'y a pas de bonne réponse. Il n'y a pas de sens. POW. On ferme les lumières.

Annick perdra ses eaux en choisissant les vêtements que son amoureux portera dans son cercueil. L'incompréhension et l'absurdité.

Les premiers mois sont flous dans la mémoire d'Annick. Sauf pour une chose. Alice. « Alice, c'est que du positif. Je me souviens de tout, de mon accouchement. Que du beau. » Annick, la maman, va survivre. La psychologue qui la suit est catégorique. « Tu as une personnalité résiliente », lui dit-elle. Pourtant, ce constat ne lui suffit pas. La situation mérite plus. Pierre, leur relation, cette expérience de vie méritent plus qu'un simple « avale la pilule et la vie reprendra son cours ».

Est-ce pour cette raison qu'un soir, Annick va suivre son impulsion et écrire à un peintre qu'elle vient de voir en entrevue à la télévision, et qui a utilisé des cendres humaines comme matériau pour une collection d'œuvres ? Elle l'ignore. Elle ne s'intéresse pas du tout aux arts visuels. Mais elle a les cendres de son chum. Un grand gaillard, qui habitait son corps. Un gars « groundé ». Est-ce qu'il pourrait devenir une œuvre d'art ? Est-ce que ses cendres pourraient servir à ça ?

Oui. Je vais le faire, a répondu Marc Séguin à son courriel qui résumait en deux phrases le deuil horrible qu'elle vivait. Il se souvient d'avoir accueilli Annick à son atelier, de l'avoir prise dans ses bras. D'avoir été imbibé par ses larmes.

Sa première idée a été de peindre une arme à feu avec les cendres de Pierre sur une immense toile. Mais le *statement* politique n'incluait pas assez Annick. Et le peintre se sentait lié à sa douleur à elle. Puis, un jour, il a eu la conviction qu'il tenait l'œuvre. Alors il l'a faite. Une pièce troublante où il se met en scène. « Ça représente un homme et une femme dans un cycle; la vie tourne, puis ne tourne plus pour un des deux, le gars tombe, relate l'artiste. Pierre, je ne le connaissais pas. Malgré toute l'empathie que je peux avoir, ce n'est pas moi qui ai subi cette perte-là. Tout ce que j'ai comme référence, c'est la douleur d'Annick. C'est pour ça qu'un coyote vient lui jouer dans la tête. Les doigts du gars sont coupés; c'est la perte, un effacement. Annick parlait de Pierre comme s'il était encore à côté d'elle. Plus tu es proche de la mort, plus la personne est incarnée; plus t'en éloignes, plus elle disparaît. Plus son souvenir physique disparaît*. »

* Œuvre : Marc Séguin, *Sans titre*, 2012. Huile, fusain et coyote sur toile. 155 x 107 pouces.
www.marcseguin.com

Une fois la toile achevée, il a contacté Annick. Et n'a jamais été aussi nerveux de sa vie.

La première fois qu'elle l'a vue, elle est restée silencieuse. Elle ne savait pas quoi penser. Littéralement. Elle ne savait pas comment il fallait évaluer une œuvre d'art. Elle comprendra plus tard qu'il y a autant de façons de voir une œuvre qu'il y a de gens qui la contemplent. Mais sur le coup, l'image lui fait du bien. Elle ne porte pas vraiment attention à la présence du coyote, qui pourtant incarne une violence inouïe. « À ce moment-là dans mon deuil, la perte de Pierre était plus importante que l'horreur de la situation. Pierre n'avait pas souffert, je trouvais que c'était quand même une bonne nouvelle. »

Surtout que son homme lui avait déjà confié, au cours de conversations anodines sur la vie et la mort, que la plus belle façon de mourir pour lui, ce serait comme à la chasse : d'une balle au cœur. « Pierre m'avait déjà dit : "Le caribou, il est dans la clairière, il broute de l'herbe, il y a des rayons de soleil, puis le chasseur tire. POW. On ferme les lumières." Il disait que c'était une mort douce. Moi je trouvais ça violent, mais je pense surtout qu'il craignait la vieillesse. Son père était atteint d'alzheimer. »

La peine d'amour, donc, elle pouvait la vivre. La colère, c'était plus diffi- cile. Ça lui faisait peur. Elle se faisait peur. Elle avait des accès de rage qu'elle craignait de ne pas savoir contrôler. « Ça a pris du temps avant que je comprenne ce que le coyote signifiait. Puis, à un moment donné, ça m'est apparu. On aurait dit que ce que je vivais, je le voyais dans la toile, et ça m'aidait à le comprendre. »

Ce qu'elle vivait, c'est une lutte de chaque instant contre le système qui complique la vie des victimes, contre la bureaucratie, contre le manque d'humanité. « C'est complètement hallucinant, dit-elle entre deux sanglots. Alors que tu penses que les gens vont avoir de la considération pour la pauvre madame enceinte qui vient de perdre son chum...

Les ambulanciers m'ont prise et m'ont mise sur une civière. Je pleurais, je ne voulais pas. "Mais la procédure, c'est ça, madame", disaient-ils. Et c'est juste la pointe de l'iceberg. Ça a été tellement violent à différents moments. Le système de justice est dégueulasse. C'est épouvantable, le manque d'humanité. »

Le procès pour le meurtre de Pierre a été annulé quand l'accusé a accepté de plaider coupable pour des chefs d'accusation de vol. C'est ce genre d'injustice violente dont parle Annick.

Alors qu'elle se sentait complètement isolée et incomprise, Marc Séguin, qu'elle connaissait pourtant peu, a su illustrer cet état. « Le coyote a la même intensité que ce que je pouvais ressentir. La toile me disait que je n'étais pas toute seule à comprendre combien c'était violent. J'avais un écho. »

—

Quelques années après qu'il eut peint la toile, lorsque je rapporte à Marc les propos d'Annick, il reste silencieux. Puis les larmes lui montent rapidement aux yeux. Il murmure : « Ça va aller mieux. C'est toute son eau à elle qui doit ressortir. »

La toile ne porte pas de titre. Un choix qui s'impose quand tout a été dit dans l'œuvre. Aujourd'hui, elle est entreposée en lieu sûr, mais on peut la voir dans le premier plan du film de Marc, *Stealing Alice*, sorti en 2016. Elle a aussi été exposée pour une première fois en 2017 à la galerie Arsenal, à Montréal. Mais Annick n'a pas envie de la posséder. Elle en a une photo. Elle y retourne rarement. L'image est gravée dans sa tête.

« Marc, je l'aime beaucoup, mais toute cette intensité, je ne veux pas avoir ça sur mon mur. Donnez-moi des marguerites ! » Annick rit. Elle rit parce qu'elle doit faire plus que survivre. Elle doit vivre. Et être heureuse. Pour Alice.

« Mais je l'aime, la toile. J'aime tout ce qu'elle a été pour moi. C'est une œuvre divine. C'est un outil qui a fait partie de mon processus de guérison et qui a été beaucoup plus efficace que la psychologue ou le système de justice pour réparer ma blessure. Ça m'a aidée à ressentir. »

Marc Séguin est à l'opposé de la caricature que l'on peut se faire de l'artiste visuel élitiste. C'est un gars posé, timide mais facile d'approche. Son intelligence émotionnelle n'a d'égale que son talent artistique, et les deux se nourrissent continuellement. Aussi, quand il me dit que son premier salaire, ce sont les compliments qu'il reçoit au sujet de ses œuvres, je le crois. « Je viens d'un milieu ouvrier. Quand j'ai commencé à peindre, la seule satisfaction que j'avais, c'était cette euphorie de me dire : "Je suis à la bonne place." Et quand quelqu'un venait me le dire, c'était tout ce dont j'avais besoin. J'étais payé. Encore aujourd'hui, c'est par là que ça passe. Quand quelqu'un me dit que je l'ai bouleversé. Je sais que c'est facile à dire pour moi parce que j'ai de l'argent. Mais c'est probablement la seule chose qui compte, ces commentaires-là. »

Au moment où Annick l'a contacté, Marc avait renoncé à peindre avec des cendres. Le matériau signifiant accaparait toute l'attention. « Je ne voulais pas que ce soit un automatisme. J'ai fait quelques toiles avec des cendres, mais ça prenait trop de place, on ne voyait que ça. » Il ne pouvait par contre pas refuser de le faire une dernière fois après avoir reçu ce courriel du 3 avril 2011, missive qui lui balançait une douleur brute. « J'ai juste tenté d'être humain avec quelqu'un qui a été touché, à qui j'ai servi d'instrument. Si ça peut juste être ça, l'art, j'en suis heureux. »

L'image qui revient le plus souvent quand il tente de décrire la dimension utile de son travail, c'est celle du paratonnerre. « Je me suis rendu compte avec les années que j'ai une fonction de paratonnerre. Je cristallise plein d'idées, et je ne sais pas de quelle façon je suis vraiment un reflet de ces idées, mais ça existe. » Il est intéressant ici de s'arrêter à la définition du paratonnerre : une invention de Benjamin Franklin conçue pour « écouler à la terre le fluide électrique contenu dans le nuage orageux et ainsi empêcher la foudre de tomber ». Ça se dit aussi d'une personne qui protège les autres en attirant sur elle le danger. Fin de la parenthèse lexicologique.

Socialement, Marc Séguin sent aussi le devoir de prendre la parole quand on lui tend le micro.

«

Je persiste à croire et à dire que quand tu es un artiste, tu as une responsabilité sociale d'aller vers les gens, de faire cet effort-là.

»

C'est peut-être pour cette raison que les gens lui écrivent, parce qu'ils sentent qu'ils auront un écho. Une énergie qu'il ne rechigne jamais à donner.

«

Jamais, jamais, jamais. Je réponds toujours. Les réponses ne sont pas toujours de 300 mots, mais quand je vois que la personne a pris le temps et que c'est bien foutu, j'essaie de me mettre au même niveau et de répondre avec la même énergie. Je trouve ça important.

»

Important. Parce que ce contact peut déboucher sur quelque chose de plus grand. En tendant la main, en ouvrant un dialogue, Marc Séguin sent qu'il peut faire une différence. Amener les gens à ne pas réduire la culture au divertissement. « Je ne suis pas réactionnaire et je ne dis pas : "Il faut relire Proust." Je pense que chaque époque a la culture qu'elle mérite. S'il faut que comme artistes, on soit plus rapides, plus ciblés, c'est parce que les choses vont plus vite. La qualité va toujours trouver sa route et sa voie. Il y a des gens qui passent 30 heures par semaine à regarder des séries sur Netflix. Il faut que tu en aies du temps pour faire ça! C'est accessible, c'est chez vous. Je pense qu'il y a là un canal qui est super cool et ouvert, et que les créateurs devraient l'investir. Les gens sont là à l'autre bout. De plus en plus, dans des moments vides de sens, à cette époque narcissique, on a besoin de comprendre qui on est; cette soif est essentielle. Et je ne pense pas que c'est dans le discours économique qu'on va se retrouver. »

Son histoire avec Annick résume un peu tout ça. S'il n'était pas allé à l'émission de télévision *Tout le monde en parle*, elle n'aurait pas entendu son message. Elle n'aurait jamais eu ce premier contact avec l'art visuel. Dans son moment vide de sens, elle a pu transcender une épreuve qui dépassait toute possibilité d'entendement.

Et quand je l'ai rencontrée, Annick m'a montré un livre qu'elle venait tout juste de s'acheter. *Comment regarder un tableau* de Françoise Barbe-Gall. La soif est maintenant là.

DENSITÉ

La femme qui fuit

La femme qui fuit *est un roman d'Anaïs Barbeau-Lavalette dans lequel elle raconte la vie de sa grand-mère maternelle, qui s'est dérobée à l'attachement familial pour étancher sa soif de liberté et vivre son propre refus global.*

Chaque collection est unique. Celle qu'assemble Anaïs Barbeau-Lavalette depuis la parution de son roman *La femme qui fuit* est particulièrement saisissante. Parce qu'elle est humaine. Anaïs collectionne bien malgré elle les témoignages de lecteurs qui ont été bouleversés par l'histoire de sa grand-mère, Suzanne Meloche. Les remerciements l'attendent littéralement au détour d'une rue.

«

Une fille m'a accostée au coin de ma rue, un jour, raconte l'auteure. Une jeune fille de 17 ans qui fond en larmes; elle pleure, elle pleure, elle pleure. Elle me dit : "Ton livre m'a sauvé la vie." Elle dit : "Il y a une phrase dans ton livre que je cherche depuis que je suis née ou presque." Je lui demande quelle est cette phrase, pendant que je la tiens dans mes bras. Elle dit : "On est allés trop loin, trop vite." Dans mon livre, ma grand-mère écrit ça pour expliquer son départ à ma mère. J'ai demandé à la jeune fille pourquoi.

Pourquoi cette phrase-là ? Elle m'a dit : "Mon père est parti quand j'étais toute petite. On dirait que je cherche partout comme une folle une réponse à ce départ. En lisant cette phrase-là, ça a tout soigné, ça a comme... répondu." Tu ne peux pas expliquer la psyché humaine, pourquoi cette phrase est venue ré-sonner aussi profondément dans cette fille-là. Sauf que c'était important pour elle. Elle l'a fait lire à sa mère, à sa grand-mère. Comme si tout à coup elle était réparée.

»

Des témoignages de ce genre, Anaïs en reçoit trois ou quatre fois par jour. Elle se sent avalée par cette vague euphorisante. C'est loin de ce qu'elle envisageait quand elle écrivait ce roman. Pendant longtemps, la cinéaste devenue écrivaine s'est demandé qui serait intéressé par cette histoire à part elle-même et sa mère, la documentariste Manon Barbeau. Elle ne réalisait pas à quel point l'intime pouvait rejoindre l'universel.

« Tu ne peux pas écrire en te disant : "Je vais faire œuvre utile." Je pense que c'est un bel accident quand ça arrive. C'est toujours un espoir, un désir, sinon je ne le ferais pas. C'est pour ça que je ne fais pas de comédies romantiques même si j'aime en regarder. J'ai envie de participer au monde. Faire œuvre utile, c'est large : ça peut signifier déranger, bouleverser, réveiller une émotion qui serait restée cachée ou endormie. Et ça ne nous appartient pas. C'est ça qui est super beau et un peu opaque. Le chemin entre tes mots et l'impact sur le lecteur, tu ne le connais pas. »

Si elle ne connaît pas toujours les raisons pour lesquelles son œuvre résonne, Anaïs en reçoit souvent les échos. « Lors d'une causerie dans une librairie, une jeune femme d'origine russe a spontanément pris la parole alors que je parlais de la conclusion du livre, qui dit qu'à notre époque, le vrai beau défi à mon avis, c'est d'arriver à être libres ensemble, en couple. À concilier la liberté, les racines et l'engagement. Cette femme s'est mise à pleurer dans la salle et elle a dit : "Moi ça fait deux semaines que je lutte pour ne pas partir. J'ai trois enfants. Mon chum essaie de me dire des choses pour me retenir et on dirait que vous venez de trouver les mots exacts." Et là tu te dis : "MON DIEU, heureusement qu'elle est venue ! Est-ce qu'elle serait partie si elle n'avait pas entendu ces mots ?" »

Dans ce florilège de témoignages, Anaïs garde une place particulière pour une dame qui a fait le même choix que sa grand-mère, soit celui d'abandonner ses jeunes enfants. « Aujourd'hui, elle a la cinquantaine. Elle m'a dit qu'elle avait vécu une vie de malheur, de dépressions et de haine envers elle-même. Jusqu'à ce qu'elle lise *La femme qui fuit*, qui l'a réconciliée avec elle-même, son histoire et ses choix. Elle m'a dit que je lui avais sauvé la vie parce qu'elle n'était pas sûre de se rendre au bout. Comme si ce livre l'avait aidée à se pardonner. »

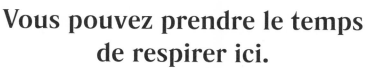

Vous pouvez prendre le temps
de respirer ici.

Le voyage dans cet assemblage de récits bifurque maintenant vers les lecteurs improbables. Car s'il y a plus de femmes qui se confient spontanément à Anaïs, elle a aussi son lot de lecteurs masculins. « Quand je suis dans les salons du livre, je prends souvent des photos de mes rencontres marquantes. Ce sont souvent des hommes. Parce que j'aime les hommes. (Rires.) Mais aussi parce qu'il y en a moins. »

Quand elle a rencontré Robert Desmarais, cultivateur de topinambours, elle lui a demandé si elle pouvait photographier ses mains, qui témoignent de son dur labeur. Il a d'ailleurs abordé Anaïs en lui parlant de la portion du livre où sa grand-mère s'installe dans la région de Belœil pour cultiver une terre dans une commune. « Ça devait être de la betterave rouge à sucre », lui a-t-il dit. Mais s'il avait fait la file, ce n'était pas pour parler de légumes, mais bien pour lui dire à quel point il avait aimé son roman.

« J'ai pleuré avant de finir la première page, me raconte-t-il. Ça ne me dérange pas de le dire. Par exemple, j'adore le cinéma, et quand c'est bon, c'est sûr que je pleure. Peu importe si l'histoire est triste ou pas. C'est comme une réaction. J'aime l'art. Et quand une œuvre me touche, ça provoque chez moi des larmes qui n'ont aucun rapport avec la tristesse. C'est physiologique. »

Robert aime l'art, sauf que la littérature n'est pas celui qu'il préfère. C'est d'abord le lien avec les peintres de *Refus global* qui l'a attiré vers *La femme qui fuit*. Puis, la plume d'Anaïs Barbeau-Lavalette l'a gardé captif. « Lire, ça me déplaît plus qu'autre chose, mais quand le contenu est bon, je suis prêt à me soumettre à la torture. Je suis un peu dyslexique, je lis lentement, je m'endors. Je suis assez sévère, je suis un chialeux, un insatisfait. C'est pas long que je décroche. Mais tu ne peux pas décrocher une seconde dans *La femme qui fuit*. J'ai trouvé ce livre complètement remarquable... dans sa densité. »

Ce sont les passages descriptifs qui découragent souvent Robert de terminer un livre. « J'essaie de lire des classiques et après 20 ou 30 pages, je m'emmerde. Une infinité de détails, de tentures, de couleurs; je veux pas le savoir, je m'en câlisse, ça m'intéresse pas. J'aime les choses vivantes, qui viennent des tripes. Comme parler de la sexualité de son personnage, sa grand-mère Suzanne. Ça, ça nous éveille. Tu peux pas être indifférent. »

Quand je lui demande quel impact ce roman a eu dans sa vie, Robert Desmarais répond spontanément que tous les autres livres lui semblent encore plus plates qu'avant. Aussi se promet-il de le lire une troisième fois pour essayer de capter pourquoi l'ouvrage l'a tant marqué. « Quand j'ai rencontré Anaïs au salon du livre, je lui ai demandé comment elle avait fait pour écrire quelque chose d'aussi dense. Elle m'a dit qu'elle l'avait écrit enceinte et qu'elle était plus sensible. Et c'est vrai que tout est à fleur de peau dans ce roman. »

Une des seules critiques de Robert, c'est qu'on ne fasse pas plus de cas du grand-père d'Anaïs, qui a lui aussi abandonné ses enfants. Comme si un homme qui fuit, c'était moins dérangeant. Or, le sujet a été abordé dans le documentaire *Les enfants de Refus global*, réalisé par la mère d'Anaïs, Manon. On y apprend qu'à la différence de Suzanne Meloche, le peintre Marcel Barbeau a gardé contact avec sa famille.

On en arrive ainsi au joyau de la collection d'histoires marquantes portées par *La femme qui fuit*, ou plutôt générées par son succès : l'impact direct sur la famille Barbeau.

Parlons par exemple de l'oncle d'Anaïs, François, qui est schizophrène.
« Une jeune fille de Québec m'a dit qu'elle croisait souvent un homme
à l'air absent qui errait dans les rues de son quartier et qu'elle ne le verrait
plus jamais de la même façon. Ça, c'est intéressant, parce que je fais œuvre
utile pour mon oncle, relate Anaïs. Quelqu'un le voit différemment, donc
va obligatoirement agir différemment avec lui. Le livre est beaucoup lu.
Lui qui est marginal, qui peut avoir l'air d'un *weirdo* est maintenant
accueilli de manière différente. Là où l'œuvre devient utile, c'est aussi
quand elle rend hommage à ceux qu'on ne regarde plus ou qu'on ne
regarde pas. Quand elle met en lumière ceux qu'on juge dénués d'intérêt.
À partir du moment où ton regard s'aiguise, tout le monde devient
potentiellement intéressant. Comme si ça assouplissait ton regard
sur l'humanité. »

Puis, il y a sa maman, qui est en première ligne. « Ma mère, qui est sau-
vage. Au début, elle avait peur. Quand le livre est sorti, ça a été dur pour
elle. Quand elle marchait sur le trottoir, les gens traversaient la rue pour
la serrer dans leurs bras. Elle n'était pas nécessairement bien avec ça. Mais
là, il y a quelque chose qui s'est pacifié, je le sens. Ma mère a arrêté d'avoir
peur du lien. Je ne l'ai pas fait pour cette raison-là, je ne pouvais pas me
douter des répercussions, mais je sens que ma mère n'est plus en réaction
par rapport à son histoire. Elle s'y installe enfin. »

LA FORCE
D'UN PRÉNOM

Kisakiin

KISAKIIΛ

Samian est un rappeur d'origine alquonquine qui a renoué avec sa langue avec l'aide de sa grand-mère. Les textes de ses chansons sont aujourd'hui enseignés dans les écoles.

Il y a des moments banals, routiniers, dont on ne devrait pas
se souvenir toute sa vie. Comme cette fois, parmi des centaines
d'autres, où on a mis de l'essence dans sa voiture. Pourtant,
Bianka Bessette se rappellera toujours ce soir-là, qui devait être
anodin. À la station-service, pendant qu'elle fait le plein d'essence,
elle entend cette chanson de Samian.

Kisakiin.
Je t'aime.

Elle connaît déjà la musique du rappeur. Étant elle-même de descendance abénakise, elle trouve important qu'il porte la parole d'une communauté qu'on entend trop peu. Une cause qui lui tient à cœur. Quoique son cœur est amoché ces jours-ci. Les derniers mois ont été éprouvants. Maman de la belle Élodie, elle s'est retrouvée seule pour élever sa fille. Après sa séparation, elle a appris qu'elle était enceinte. Une petite fille encore. *Kisakiin*. Je t'aime.

Elle s'appelait Alexia. C'est ce qu'avait décidé Bianka, même si les médecins lui avaient dit que son bébé ne survivrait pas. À 26 semaines, elle a accouché et n'a jamais eu la chance de sentir le souffle apaisant de cette enfant dans son cou. *Kisakiin*.

Je t'aime. Elle le dit à Alexia. Ça et d'autres choses. Parce qu'elle parle souvent à son ange maintenant au ciel, croyance héritée de la spiritualité autochtone.

Perdue dans ses pensées à côté de la pompe à essence, elle se laisse porter par la chanson de Samian.

On a l'droit d'être heureux
En plus Milan est merveilleux
T'es une mère exemplaire
Vous êtes ma p'tite famille
Même si j'sais qu'j'suis pas l'père
J'veux pas l'perdre
J'veux pas t'perdre
J'vous aime comme mes deux perles

Spontanément, elle s'adresse à Alexia en regardant vers le ciel, le pistolet à essence toujours dans la main. « Tu le sais que maman elle ne veut plus d'amoureux. Mais si jamais t'en vois un sur mon chemin qui pense comme ça, laisse-le entrer dans ma vie et dans la vie de ta sœur. »

Alexia a entendu. Les hommes que Bianka a rencontrés par la suite ne faisaient pas long feu et disparaissaient en fumée. Puis, au hasard d'une soirée avec des amis, elle a croisé celui qu'Alexia avait choisi. Il fallait qu'elle ait foi en son petit ange pour deviner que Patrick était le bon. Il était amateur de heavy métal, avait des allures de brute. Elle aurait pu s'arrêter aux apparences, mais elle n'avait pas commandé de prince charmant. Elle avait demandé un père aimant. Et elle l'a reconnu en observant Patrick pendant qu'il écoutait *Kisakiin* pour la première fois. Il a dit : « C'est beau. »

Aujourd'hui, Patrick est en voie d'adopter Élodie. Il milite aux côtés de Bianka au sein d'Idle No More, un mouvement visant à améliorer les conditions de vie des autochtones et à préserver leur culture. Le couple prévoit passer ses prochaines vacances en famille à faire la tournée des pow-wow dans les réserves du Québec, maintenant que ses filles sont assez vieilles. Parce que, oui, la vie leur a fait cadeau d'une autre petite fille. C'était tout désigné qu'elle s'appelle Samiane.

«

Ce qui me touche énormément depuis les 10 dernières années, c'est de recevoir autant de messages de gens qui ont appelé leur enfant Samian en mon honneur, avoue candidement le rappeur. Ce n'est pas un prénom commun au Québec. C'est la traduction en algonquin de mon vrai prénom, Samuel. Autochtones ou non, il y en a trois ou quatre par année. C'est là que tu vois que même si tu écris des chansons tout seul chez toi, tu fais réellement partie de la vie des gens.

»

L'expression « faire des petits » n'aura jamais été aussi bien utilisée. Le « grand » Samian, comme le surnomment les filles de Bianka, s'est vite rendu compte que son influence dans la vie des gens transcendait sa musique.

Que ce soit quand quelqu'un vient le serrer dans ses bras après une con-férence ou parce que ses textes sont étudiés dans les écoles, Samian sait que sa prise de parole a un impact tant dans la sphère intime que dans la collectivité. Il ne compte plus les histoires de tentatives de suicide qu'il a entendues, même si lui n'est jamais passé par ce sombre chemin. « C'est presque égoïste de ma part, mais ces gens-là me nourrissent, ils me font grandir comme être humain. À certaines périodes de l'année, je reçois presque quotidiennement un message d'espoir, une histoire de quelqu'un qui est passé près de s'enlever la vie. Des gens des Premières Nations qui pensaient qu'ils ne valaient rien, qu'ils n'étaient personne dans notre société et qui ont fait : "Attends un peu ! Si toi tu peux faire ça, moi aussi je peux." »

Est-ce lourd à porter pour l'humain derrière l'artiste ? Pas du tout, répond catégoriquement Samian. « Au contraire. Ce n'est pas lourd, ça ne change pas quelqu'un. Je ne change pas de discours. Si les gens me suivent ou aiment ce que je fais, c'est pour ce que je suis. Mais c'est certain que lorsqu'un professeur de français ou d'histoire t'invite dans sa classe, tu sens une responsabilité. » La responsabilité de transformer la perception d'un peuple invisible en celle d'un peuple invincible, comme le dit le rappeur dans un de ses textes.

Mais le chemin est encore long à parcourir. Bianka s'insurge d'une injustice survenue il y a quelques années envers Samian. Une de ses pièces n'attei-gnait pas le pourcentage requis de mots en français pour être considérée comme une pièce francophone et bénéficier de l'avantage des quotas de diffusion à la radio. Il se retrouvait donc en compétition avec les chansons anglophones, alors qu'il utilise une langue millénaire qui était parlée au Québec bien avant le français. « Il n'y a déjà pas beaucoup d'artistes autochtones... Ça manque, dit-elle. Des fois j'ai peur que ce soit un peuple qui s'éteint, comme un long génocide. »

Heureusement, les mots de Samian ont un écho. Et il y a plein de petit(e)s Samian(e) pour qu'on ne l'oublie pas.

LE MIROIR

Ruptures

Ruptures *d'Isabelle Pelletier et de Daniel Thibault est une télésérie qui suit une avocate spécialisée en droit de la famille tout en montrant la bouleversante réalité derrière chaque séparation.*

Lundi soir, 20 h. Maintenant qu'elle a couché ses trois enfants, Nadia Lévesque peut enfin souffler.

Ariane, 7 ans et demi, Justin, 6 ans, et Livia, 3 ans. C'est un automatisme, nommer les enfants et leur âge par ordre décroissant. Après tout, Ariane est arrivée en premier. C'est l'aînée. Pourtant, Nadia se rend bien compte que sa petite dernière est en train de devancer la grande en matière d'autonomie.

C'est qu'Ariane est l'une des rares petites filles à être atteintes d'un spectre de l'autisme sévère. Heureusement, grâce au travail acharné de sa maman, qui a été épaulée par une ergothérapeute, Ariane fait des progrès. Nadia a parfois même le luxe de relaxer en soirée comme les autres parents, devant son émission préférée.

Alors, le lundi soir à 20 h, Nadia Lévesque regarde la télé avec le père de ses trois enfants.

Mais ce lundi soir là, surprise : elle se voit dans la télévision.

Dans cet épisode de la série *Ruptures*, la comédienne Éveline Gélinas incarne une mère qui reste à la maison pour s'occuper de son enfant autiste. Maxime Gaudette joue le père qui travaille pour faire vivre la famille. Et les deux sont au bout du rouleau. Un schéma assez classique. Nadia se reconnaît tout de suite.

Ariane avait 22 mois quand elle s'est fait renvoyer de la garderie. C'était un vendredi, vers 16 h. « Madame, votre fille présente des traits d'autisme, on ne peut plus la garder ici. » À ce moment-là, Nadia ne savait pas qu'Ariane ne retrouverait jamais une place en CPE, ni même dans une école spécialisée. Elle ne savait pas non plus qu'elle-même venait de faire sa dernière journée comme acheteuse dans le milieu de la mode. Elle ne savait pas qu'elle deviendrait l'experte de sa fille et qu'elle serait dorénavant avec elle 24 heures sur 24.

Mais Nadia chasse les mauvaises pensées et se rassure. Elle est chanceuse, son conjoint est toujours là, alors que la majorité des couples se sépare dans de telles conditions.

Elle se retourne. À ses côtés sur le divan, son chum commence à verser quelques larmes. Lui aussi se reconnaît dans ce qu'il voit au petit écran. La culpabilité d'aller travailler et de laisser l'autre aux prises avec l'enfant et ses crises imprévisibles...

Nadia essaie de ravaler ses émotions. Allons, ils ne sont plus au bord de la crise comme le couple à la télé. La situation s'est améliorée grâce aux méthodes qu'elle applique pour communiquer avec sa fille. Nadia laisse errer son regard dans le salon. Les pictogrammes collés aux murs témoignent de la routine qu'elle a installée. Et tout à coup, elle voit.

Elle voit tout ce qu'elle doit faire dans une journée pour éviter une crise. Comment toute sa vie est compartimentée pour qu'Ariane puisse fonctionner. Pourquoi, après une journée pourtant normale, elle est parfois épuisée. Elle voit qu'elle ne va plus jamais souper avec ses amies pour ne pas manquer la routine du dodo. Qu'elle refuse souvent les rares soirées de gardiennage parce qu'elle paierait trop cher le fait d'avoir déplacé les repères d'Ariane. Elle voit le monde parallèle qu'elle s'est créé.

Ce moment de télévision est une véritable catharsis. « Ça a été un choc, autant pour mon chum que pour moi. On vit l'autisme depuis longtemps, j'écris là-dessus sur un blogue, je suis habituée d'en parler, je fais des conférences. Mais le voir... *Oh my God*! Ça a tellement été autre chose. Entendre ce discours, voir la détresse de la maman... c'est venu me chercher. C'est tellement ça. »

Nadia Lévesque n'était visiblement pas la seule devant la télé ce soir-là. Son téléphone s'est vite mis à sonner et elle a reçu des tonnes de messages de ses proches qui ont pensé à elle en regardant cet épisode. Pour la première fois, ils saisissaient l'ampleur de ce qu'elle vivait. « J'ai envie de dire : "Enfin !" Mais je pense qu'il fallait que ce soient des comédiens qui le jouent pour que le déclic se fasse. Les gens me disent qu'ils ont pleuré, ils me demandent ce qu'ils peuvent faire pour nous aider. Même ma famille proche. D'habitude, je dis tout le temps que je ne veux rien faire pour ma fête pour ne pas stresser Ariane. Mais là, mes parents ont décidé de venir peinturer ma maison et faire des petites rénovations. Ma sœur m'appelle plus souvent. Elle me demande comment je vais. Elle me précise : "Pas Ariane : TOI, comment tu vas ?" Je pense que ça a fessé dans la télévision de bien des gens. »

Et au-delà du rôle inestimable ce cette émission dans la sensibilisation à la cause des parents aidants, le récit *Ruptures* a carrément éveillé quelque chose chez Nadia. « J'ai pris conscience que oui, il faut que je crie plus fort, que j'interpelle les gouvernements, que je sois tannante ! Cette émission a eu une influence sur mon discours. Ce n'est pas vrai qu'on s'en sort si bien que ça avec les années parce qu'en fait, il n'y a rien qui change. C'est juste qu'on met des choses en place sans l'aide de personne. Et plus on met des choses en place, plus ça demande du temps et de l'énergie. C'est ça que j'ai réalisé. »

Et c'est ainsi que l'effet miroir s'est produit : Nadia a publié un billet de blogue qui a touché les auteurs de la série *Ruptures* droit au cœur.

Extrait du blogue TPL Moms, 3 mars 2017

«

Habituellement quand je vis un trop-plein d'émotions, c'est ce que je fais. Je m'assois devant mon ordinateur et les mots s'alignent tout seuls. Lundi soir, je pleurais tellement que mes mains en tremblaient. J'étais incapable d'écrire, et même de pleurer en silence. J'ai pleuré fort, de peine, de rage. J'avais la tête enfouie dans le torse de mon conjoint, je sais qu'il pleurait, lui aussi. [...] La réalisation, les textes, le jeu des comédiens, tout était là, tout était vrai. Je me suis revue épuisée, envieuse de ce conjoint qui part travailler et qui me laisse là, entre mes quatre murs. [...]

Je me suis rappelé mon double discours : celui dans lequel je dis qu'elle est différente, mais tellement extraordinaire. La vérité, c'est que pour qu'elle le soit, je dois accepter d'être prisonnière, toujours là, à son service. Je ne suis pas autiste. Ces besoins excessifs de routine, ça ne me rassure pas, ça m'étouffe. Je le sais, mais lundi soir, je l'ai vu.

»

Daniel Thibault et Isabelle Pelletier forment un couple depuis 25 ans. Ils ont quatre enfants et scénarisent la série *Ruptures* avec Jacques Diamant. Pour une rare fois, ils n'étaient pas ensemble quand ils ont lu le témoignage de Nadia Lévesque. C'est Daniel qui l'a envoyé à sa douce, qui était restée au chalet. Isabelle se rappelle avoir été frappée de plein fouet.

« J'avais passé une nuit d'enfer. J'étais d'une drôle d'humeur. Quand j'ai lu ça, j'ai pleuré pendant 20 minutes. Quelqu'un m'avait dit une fois : "C'est très féministe ce que vous écrivez, c'est un appel au féminisme." J'avais eu une espèce de recul, je me disais : "Je ne veux pas être une porte-parole du féminisme au Québec, je suis là pour témoigner, raconter ce que je vois." Finalement, c'est ce qui est arrivé avec cette histoire. On était assez épuisés au moment de l'écrire, donc ce n'était pas difficile de raconter cette histoire de façon réaliste. Ça a vraiment changé des choses concrètement dans nos vies pendant qu'on l'écrivait, puis un an plus tard, ça se retrouve à la télé, puis je lis le billet de cette femme. C'est magique. C'est plus grand que nous. »

Au moment de l'écriture, Daniel et Isabelle s'étaient entretenus avec Guylaine Guay, mère de deux garçons autistes. « Guylaine est tellement positive et pleine d'acceptation. On se disait : "Quel courage !" On n'avait pas eu accès à cette détresse qui est exprimée dans le texte de Nadia. Ça m'a vraiment ému », raconte Daniel.

Nadia Lévesque est elle aussi très courageuse et rit beaucoup quand elle parle. Elle dit en rigolant que sa fille a besoin d'un accompagnement individuel en classe et que le gouvernement n'a pas les moyens de payer pour ça. « Tu es bonne d'en rire », lui fais-je remarquer. Sa réponse est remplie de sérénité : « Chaque fois que je pleure et que je rage, je me reprends et je me dis que je ne peux pas rester là-dedans. Je sais où ça peut mener. J'écris énormément pour me défouler. Ça me garde la tête hors de l'eau. »

La vulnérabilité que Nadia a accepté de dévoiler publiquement est venue confirmer aux auteurs de *Ruptures* que la pensée sociale qui sous-tend leur écriture a ses effets. « Pendant une longue période de ma vie, j'ai eu une volonté consciente et trop appuyée de faire de l'humour engagé, raconte Daniel. Curieusement, depuis qu'on fait juste témoigner de différentes réalités, ça a plus d'impact. »

Les auteurs se sentent quand même une certaine responsabilité quant aux messages qu'ils véhiculent et aux conclusions qu'ils proposent, comme l'explique Daniel. « Dans la troisième saison, il y a une histoire qui pouvait finir sur une note d'espoir ou non. Si on allait au bout de la situation, c'était très noir. On se disait : "Est-ce qu'on peut léguer ça ? Philosophi-quement, par rapport à nos valeurs, est-ce qu'on peut affirmer que, dans certaines situations, il n'y a pas d'espoir ?" Écrire pour la télé, ça vient avec une responsabilité, parce qu'on est dans la tête de beaucoup de monde. On doit faire attention à notre message. »

Ruptures est une série dans les zones de gris où il n'y a ni bons ni méchants, seulement des gens qui souffrent. C'est le leitmotiv des auteurs, résume Isabelle. « On est dans les coulisses de l'humanité. Quand ton monde s'écroule, c'est là que tu es le plus vrai. »

QUAND LE *TITANIC* NE COULE PAS

Naufrage

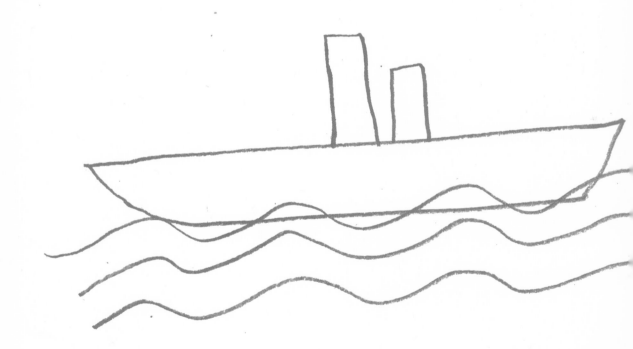

Naufrage *de Biz raconte l'histoire de Frédérick Limoges, un homme en couple, papa d'un petit garçon qu'il adore. Il travaille au ministère des Structures. Jusqu'au jour où il est « tabletté » et muté aux archives où il ne fait rien de ses journées. Obsédé par ce changement de vie, il en vient à faire un oubli fatal. Celui qui glace le sang un jour de canicule. Son enfant. Dans la voiture.*

Ce chapitre raconte l'histoire d'un père qui a lui aussi fait cet oubli mortel. On lui donnera le nom fictif de Simon, mais son récit, lui, n'a rien d'inventé. Le 17 août 2016 est la journée qu'il est condamné à revivre dans sa tête dans les moindres détails.

Il revenait d'une virée de 16 jours en Gaspésie avec sa femme et leurs trois garçons. Le plus petit était âgé de 11 mois. Depuis trois jours, Simon avait repris le boulot, mais en cette période de vacances, il palliait les absences d'autres employés. Ce matin-là était aussi chargé que peut l'être un matin dans une famille dont les deux parents travaillent, avec le train-train du quotidien qui vous rentre dedans sans avertissement. Sa femme était stressée par un truc au boulot, les deux plus grands rouspétaient et le tout-petit tournait sur lui-même comme les aiguilles d'une horloge, imperméable à toute la tension qui l'entourait : il était occupé à se déplacer sur ses fesses, à défaut de savoir marcher.

Simon a embarqué la marmaille dans la voiture non sans rancœur et a amorcé le trajet vers le camp de jour des deux plus grands. Une fois rendu sur place, il est descendu de la voiture, a pris le tout-petit et monté les étages, pour se rappeler que le camp de jour avait lieu à un autre endroit cette semaine-là. Il le savait, pourtant, il y était allé deux jours plus tôt. Ce genre de matin-là ! Laissant échapper quelques mots sacrés, il a remis le petit dans son siège, est rembarqué dans la voiture et a repris la route vers l'autre bout de la ville pour déposer les deux grands. Après cet arrêt, il a pris un trajet qu'il avait emprunté des centaines de fois en revenant de la gare de train, quand il travaillait à Montréal. Ce matin-là, il devait retourner à la maison pour suivre une formation en ligne importante pour son travail. Peut-être que plus tard il prendrait le temps d'appeler sa blonde. C'était ce qu'ils faisaient souvent après s'être engueulés le matin. Il se stationne dans son entrée. Et rentre travailler. En oubliant ce qu'il a de plus précieux.

L'histoire de Simon a été largement couverte dans les médias. Il a ému des centaines de milliers de personnes en racontant à la radio le moment où, en retournant chercher son tout-petit à la garderie en fin de journée, il s'est rendu compte de son amnésie. Quand l'éducatrice lui a dit qu'il n'était jamais venu déposer son fils le matin. Lorsqu'il a eu le déclic, une décharge lui a traversé tout le corps. Cette entrevue à la radio avait presque des allures de confession. Il l'a accordée pour une raison : prévenir d'autres drames. S'assurer qu'aucun parent ne se sente à l'abri. Parce que si l'amour qu'on porte à son enfant avait une quelconque corrélation dans cette histoire, le dénouement ne serait pas le même. Mais tout l'amour du monde n'a pas pu sauver cette famille d'une erreur humaine.

L'auteur Biz en sait quelque chose. Il a étudié le sujet pendant deux ans pour écrire son roman *Naufrage*, publié quelques mois avant la terrible histoire de Simon. L'auteur est catégorique. Il n'y a pas de profil type dans ce type d'accident : ça arrive autant aux hommes qu'aux femmes, riches ou pauvres, blancs ou noirs. Les seuls éléments communs : le changement de routine et une préoccupation par rapport à son emploi. Deux choses qu'on peut difficilement éviter dans une société où le travail occupe le centre de nos vies.

Simon n'avait pas lu le roman avant le drame. Mais plusieurs personnes l'avaient fait, dont la journaliste de faits divers Monic Néron, que cette lecture a marquée. « Je me souviens très bien du lendemain matin du drame. Quand j'ai su qu'un bébé avait été retrouvé sans vie et qu'on avait probablement affaire à un cas d'enfant oublié dans l'auto, j'ai tout de suite pensé au roman de Biz. Et ça a teinté toute ma couverture de l'événement. Dès ma première chronique, j'ai dit : "Attention, ne jugeons pas trop vite." »

Parce que la lecture de *Naufrage* laisse des traces. L'auteur réussit à nous
emporter dans la rage du personnage principal contre son employeur,
et à nous faire oublier, à nous aussi, la présence de l'enfant dans l'auto.
« Cette section du livre, je l'ai travaillée longtemps avec mon éditeur,
raconte Biz. On part avec le personnage dans sa tête. À partir du moment
où toi aussi tu as oublié la présence de l'enfant, tu tournes la page. Ça fait
boum ! Tabarnak. Tu ne peux plus juger cet homme. Toi aussi tu as oublié
le petit. » Tout à coup, la thématique du roman devient la compassion.
Et si on se mettait à la place de l'autre ?

«

Je pense que l'art, c'est à ça que
ça sert : te faire voir le monde
d'une façon différente. Les
conversions idéologiques ou
politiques sont assez rares dans
une vie. Mais qu'un artiste, une
chanson ou une œuvre d'art te
fasse voir le monde autrement,
avec une autre sensibilité,
d'autres yeux, d'autres oreilles,
c'est plus courant, je trouve.

»

S'il écrit d'abord pour assouvir son besoin de création, Biz a pour seule ambition d'être intéressant. C'est le principal objectif de ses romans. Ça, et rendre les gens heureux. Heureux ? Après une lecture aussi dévastatrice ? « Oui. Si j'ai eu une utilité dans ma vie, ç'aura été ça. Tu peux rendre les gens heureux parce que tu les aides à sacrer contre les libéraux. Tu peux les rendre heureux parce que tu les fais brailler avec un livre comme *Naufrage*. Tu peux être heureux en étant malheureux parce qu'après ça, tu vas décanter et tu ne verras plus le monde de la même façon. »

Biz n'a accordé qu'une seule entrevue dans la tourmente du drame survenu à Saint-Jérôme. Il a pris la parole au micro de Paul Arcand pour faire partager sa réflexion. « Tu parles de faire œuvre utile. Les commentaires que j'entends [par rapport à la tragédie de Saint-Jérôme], c'est : "Avant j'aurais peut-être eu tendance à juger ce père. Depuis que j'ai lu ton livre, j'ai juste le goût de le prendre dans mes bras." »

Simon a entendu cette entrevue. Il n'avait pas encore lu *Naufrage* à ce moment-là. Quatre mois plus tard, il a trouvé le courage de le faire. Et dans un courriel qu'il m'a acheminé pour *Faire œuvre utile*, il a écrit : « C'est un excellent roman. La lecture a été moins pénible que je ne le pensais. C'est très différent de mon histoire, mais à quelques endroits c'est identique. Moi j'ai eu la compassion de mes proches, des intervenants m'ont aidé à ne pas sombrer et surtout, ma femme ne m'en a jamais voulu. En fait, je vois à quel point je suis chanceux : mon drame n'a pas été aussi pire que celui de Frédérick. »

Cette dernière phrase m'a complètement sciée, parce qu'elle donnait raison à Biz. Son livre peut rendre quelqu'un heureux. Et pas n'importe qui.

Simon avait envie de rencontrer Biz pour en parler. On a donc organisé un club de lecture impromptu chez l'auteur. En voici une transcription.

Simon
**Ce livre-là,
c'est tout ce que
je craignais
qui m'arrive.**

Biz	Ce qui est différent dans mon livre, c'est que sa blonde ne lui pardonne pas et ne lui pardonnera jamais.
Émilie	Toi tu as l'amour de ta blonde et beaucoup de compassion du public.
Simon	Oui. Je ne compte pas les quelques caves qui m'ont écrit, mais en général j'ai eu beaucoup de compassion. Les policiers m'avaient dit de fermer ma page Facebook. Un peu comme le personnage du roman, par curiosité morbide, je suis allé voir, mais je ne suis pas tombé sur des saloperies. Je me suis aperçu qu'il y en avait qui me défendaient, qui étaient sympathiques. Moi je me traitais de monstre, je me traitais de tous les noms. Et là je me suis dit : « OK, je ne suis peut-être pas aussi pire que je pense. » Avec ma blonde, on ne pouvait pas se remonter l'un l'autre. Quand elle essayait de me remonter, elle retombait, et moi la même chose. Il y avait donc tout le temps quelqu'un à la maison pour nous aider.
Biz	Vous avez des enfants encore, vous ne pouvez pas vous permettre de pleurer pendant six mois...
Simon	Non, mais il faut se permettre de le faire devant eux. Des fois c'est dur de les faire parler. À un moment donné, un soir, je comptais jusqu'à 60 à voix haute pour que les enfants se brossent les dents assez longtemps. Je compte 40-41-42, et je réalise que je suis rendu dans la chambre du tout-petit. Et là je pars [à pleurer]. Mais je PARS... Un de mes gars m'apporte un Luminou, l'autre me donne la doudou du petit. Je suis inconsolable, ça ne marche pas. Je m'assois et je leur dis : "Les gars, est-ce que ça vous dérange quand ça m'arrive ?" Ils m'ont dit non, et dans ces moments-là, je réussis à les faire parler plus. Ma blonde a un intervenant, moi j'ai une intervenante et la famille a un intervenant. Le premier mois, il y avait trois ou quatre personnes avec nous en tout temps.
Biz	Donc, à travers la tourmente et la tragédie, vous avez été bien épaulés.
Simon	Totalement. Rien de négatif.

Biz | Ça c'est la différence entre un naufrage et une tempête dont on sort.

Simon | Moi je suis comme le *Titanic*, mais dans mon cas on l'a réparé avant qu'il coule. Le premier mois, c'est pénible. Mais tranquillement pas vite, tu reprends le dessus. C'est vrai que c'est dur aussi quand les gens retournent chez eux et qu'on se retrouve seuls la première fois. On ne vit pas le deuil de la même façon ni au même rythme, mais on s'équilibre; je fais attention à elle [ma blonde] et elle fait attention à moi. Il n'y a pas une fois où elle m'a crié par la tête : « C'est de ta faute! » Au contraire, elle n'arrêtait pas de me dire : « C'est de ma faute », parce que je lui avais demandé ce matin-là : « Regarde, t'es déjà prête. Vas-y donc, toi, les reconduire! » Elle avait répondu : « Non, j'ai telle affaire... »

Biz | Donc vous l'assumez comme quelque chose de commun? Une erreur commune?

Simon | NON! C'est de ma faute. Au début, je combattais quand elle disait ça. Je lui disais : « C'est moi qui suis responsable et tu n'en veux pas de cette responsabilité. » Mais mon intervenante dit que c'est normal. Il serait mort au coin d'une rue dans les mains d'une autre personne que ma blonde trouverait le moyen de dire que c'est de sa faute.

Biz | Mais toi, tu le sais, tu en prends la responsabilité.

Simon | Oui, c'est ma responsabilité. [Il voit que Biz et moi regardons son avant-bras.] C'est un tatouage du tout-petit. Je suis allé faire une randonnée en montagne et quand je suis redescendu j'avais décidé de me faire tatouer. C'est comme l'image du Petit Prince. Mais il est assis et se fait tirer vers le haut. Je l'ai fait faire sur mon avant-bras droit. C'est le bras avec lequel je le tenais toujours.

DE FILS EN PÈRE

Batiscan

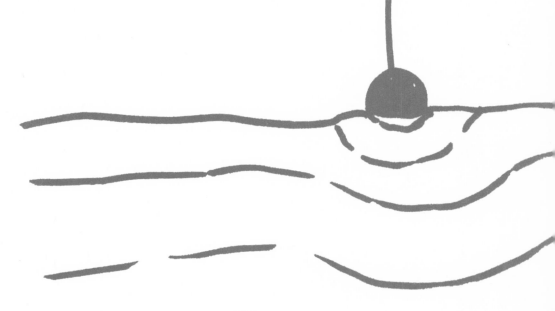

Batiscan *est une chanson de Keith Kouna, parue sur son deuxième album,* Du plaisir et des bombes. *Elle parle de pêche et du lien père-enfant dans une simplicité brutalement touchante.*

Pôpa j'te parle pas trop souvent
Chus dans mes affaires pis j'cours
   tout l'temps
Pis tu sais ben qu'chus pas fort
   sé prières
Sauf quand chus dans' marde
   ou trop content

Ça faisait environ un an que Sylvain « Keith Kouna » Côté avait perdu son père quand cette chanson lui est venue. Comme pour chaque pièce qu'il compose, il est allé là où l'improvisation le menait, sans trop se censurer. « Je n'avais pas prévu écrire sur ce sujet. Je ne serais pas allé là, parce qu'il y a beaucoup de pièces là-dessus. C'est un terrain glissant, ça peut être très sirupeux, dépendamment de comment c'est fait. Ça faisait plus d'un an que mon père était décédé, c'est vrai que je me sentais un peu tout croche. Peut-être que l'angle de la pêche, c'était pour être moins mélodramatique. Je voulais l'image plus que l'émotion. »

C'est peut-être juste que c'est
   la fin d'l'hiver
Pis que ben vite ça va être
   le printemps
Le temps des sucres, l'ouverture
   de la pêche
Pis qu'j'me r'voé ti-cul s'a Batiscan

Pogné din branches pis toé
   qui m'démêles
Pis qui me r'mets un
   nouveau gréement
Une tape sur l'épaule,
   un brassage de tête
On était ben s'a Batiscan

Quand il l'a terminée, Keith Kouna s'est demandé si cette chanson ovni avait une place sur son album, tant elle était différente des autres. La première fois qu'il l'a jouée devant public, il a su qu'il ne pouvait pas la garder pour lui. « C'était au bar Le Quai des brumes à Montréal. J'ai senti que ça avait capté, qu'elle avait fait mouche. Mais je ne pensais pas qu'elle gagnerait le Prix de la chanson SOCAN, ni le GAMIQ de la chanson de l'année. C'est *weird*, "dealer" avec quelque chose de très personnel qui entraîne une réaction du public assez forte. Ça fait réfléchir. »

Malgré tout, l'impact de *Batiscan* ne le motive pas à exploiter de nouveau ce filon. Au contraire, Keith Kouna est assez avare de sa chanson, préférant ne pas la chanter quand il sent que l'énergie de la foule ne s'y prête pas. « Je la considère un peu à part. Si le public est plus en effervescence ou bavard, je la "skippe". C'est une question de respect envers la chanson et ce dont elle traite. Je ne veux pas que ce soit un automatisme, je ne veux pas la traiter comme un succès. »

Et quand il la fait en spectacle, le chanteur s'attire les témoignages du public... et même des invitations à aller pêcher. « Malheureusement, elles ne se sont pas concrétisées. Ça va peut-être arriver, qui sait ! Chacun des témoignages me touche et je ne sais jamais trop quoi dire. C'est un partage de deuil, et on est limités sur le plan des mots. Je peux juste accueillir et remercier la personne d'en parler. On se débrouille du mieux qu'on peut avec la mort. Oui, j'ai écrit cette chanson pour moi, mais son thème est assez universel. C'est la magie de la musique et des mots. »

En tout cas, l'authenticité presque naïve de cette pièce a résonné fort pour Sylvio Morin, 57 ans, de Beauceville. En plus d'être un amateur de pêche et d'avoir traduit des ouvrages sur le sujet, il a perdu son père Léandre il y a 25 ans, mort subitement d'une crise cardiaque à l'âge de 59 ans.

« Le rapport entre père et fils est très important pour moi, affirme-t-il. J'ai créé une compagnie avec mes frères et on l'a appelée Les gars à Léandre. J'ai pleuré en écoutant cette chanson-là. Mon père était un extraordinaire pêcheur et aussi un musicien. » Comme Keith Kouna le chante dans sa complainte, Sylvio continue de s'entretenir avec son père. « Des fois je lui parle, mais j'ai l'impression que ça ne se rend pas tout le temps. Je le fais assez régulièrement, je lui envoie des messages : "Je pense à toi, pense à moi, protège mes enfants." Des choses banales, et pas juste à des moments où ça ne va pas bien. Il faut envoyer des messages aussi quand ça va bien. »

Pour cet amateur de chanson québécoise, le texte est très important. Il devine l'attention portée à chaque mot, à chaque virgule. La pièce *Batiscan* l'a aussi replongé dans ses souvenirs d'enfance. « Même si c'était un excellent pêcheur, ce n'est pas mon père qui m'a appris à pêcher. Je garde surtout des souvenirs de son autre passion, la taxidermie. Petit, j'adorais rester avec lui et ses amis à écouter leurs histoires de chasse et de pêche. Je pourrais écrire un livre avec tout ce que j'ai entendu. »

Contrairement à son père, Sylvio a montré à ses enfants à pêcher et ils ont comme lui développé cette passion. Ainsi, quand il écoute la chanson de Keith Kouna, c'est à la fois avec l'émotion d'un fils... et d'un père.

UN PAS À LA FOIS

Suivre la parade

Suivre la parade *est le deuxième spectacle solo de Louis-José Houde. C'est un spectacle pour lequel il a peaufiné son écriture en abordant des thèmes plus sombres qu'à son habitude, comme le divorce de ses parents et l'avortement de son amoureuse, en réussissant le tour de maître d'ajouter de l'humour à ces moments qui ne portent pourtant pas à rire.*

10 juillet 2008, très tard en soirée. La scène se passe au Saguenay, sur une petite route. Si on était en plein tournage d'un film, il faudrait de puissantes machines à pluie pour recréer l'averse. À bord de la voiture, il y a Marylou Girard-Bouchard, 16 ans, sur le siège du passager, et son copain de l'époque au volant.

Tous les gens qui ont vécu un accident de la route disent la même chose : ça s'est passé très vite. Dans leur cas, c'est de l'aquaplanage, suivi d'un tonneau. La voiture se retrouve sur la voie inverse, renversée sur le capot. Quand Marylou reprend connaissance, des secours sont arrivés. Elle est transportée à l'hôpital de Chicoutimi où son cas est jugé trop sérieux : elle a des vertèbres fracturées. Une ambulance l'amène à Québec au petit matin. Elle sera opérée pendant la journée.

Marylou passera finalement six mois là-bas. Parce que le pronostic est aussi grave que l'avaient envisagé les médecins : quadriplégie. « Ils ont été honnêtes dès le début. Ils ne savaient pas si je pourrais remarcher un jour. Ça dépend toujours de la moelle épinière et des nerfs qui sont touchés. Mais j'avais des conditions favorables : j'étais jeune, en santé et j'avais fait du ballet classique pendant 12 ans. J'étais disciplinée. J'ai décidé de prendre ça un jour à la fois. »

Réapprendre à marcher, ce n'est pas une priorité normale pour une fille de 16 ans. L'été qui précédait sa 5e secondaire, elle aurait préféré le passer avec ses amies plutôt que dans une chambre d'hôpital à 200 kilomètres de chez elle. Arrivée à l'âge où on acquiert enfin une certaine autonomie, Marylou adorait faire des sorties. Avec deux copines, elle était allée voir deux ou trois fois le spectacle de Louis-José Houde *Suivre la parade*. Quand elle a appris l'accident de Marylou, une de ces amies est allée voir l'humoriste après un spectacle pour lui faire part de la situation. La semaine suivante, elle est arrivée à l'hôpital avec une carte signée par Louis-José. « Elle lui avait demandé de m'envoyer des ondes positives, raconte Marylou. Il m'avait écrit un petit mot tout simple, mais juste qu'il ait pris le temps, je trouvais ça *cute*. J'ai collé la carte sur mon mur. C'était quelque chose de motivant. »

Le spectacle *Suivre la parade* a ensuite occupé une place non officielle dans le programme de réadaptation physique de la jeune fille, à commencer par sa première sortie de l'hôpital en septembre 2008. Comme la tournée de l'humoriste s'arrêtait à la salle Albert-Rousseau, à Québec, il était hors de question pour Marylou de manquer une si belle occasion de rire et de se changer les idées.

Après le spectacle, elle est allée saluer Louis-José et l'a remercié pour sa carte. Elle a descendu l'allée en fauteuil roulant. L'hiver suivant, elle est retournée voir le spectacle. Cette fois, elle était en béquilles. Ensuite, c'est à l'aide d'une canne qu'elle a marché pour aller à la rencontre de son humoriste préféré. Et un jour, Louis-José Houde a eu la surprise de la voir solide sur ses deux jambes.

L'humoriste se souvient très bien d'elle. « C'est un *show* qui parlait de certaines épreuves et ça lui faisait du bien. Elle restait après le spectacle pour me parler, mais jamais dans un esprit de fanatisme. Elle a trouvé une signification là-dedans à laquelle elle s'identifiait beaucoup. »

Pour Marylou, le message de *Suivre la parade*, c'est qu'il faut continuer malgré tout, mais que c'est bien aussi de s'arrêter un moment pour reconnaître ses limites. « C'était un spectacle honnête qui me faisait du bien. Ça me faisait rire, mais il y avait aussi quelque chose de très humain. J'avais besoin de ça dans cette période-là. »

Si elle n'a pas vraiment de blague préférée, elle se rappelle qu'elle attendait toujours un moment en particulier. « Pendant tout le spectacle, Louis-José racontait plusieurs passages durs de sa vie, une séparation et le divorce de ses parents, entre autres. Et à la fin il disait : "Là je ne peux plus suivre la parade." Ça bouclait la boucle. Et ça me faisait du bien d'entendre cette phrase. »

« Suivre la parade » est devenu le mantra de Marylou. Tellement que pour souligner le premier anniversaire de l'accident, elle s'est fait tatouer cette phrase dans le dos. Elle le raconte avec la gêne accompagnant une anecdote qui la replonge dans l'intensité de ses 17 ans. « Ça a été mon premier tatouage. Je ne l'ai pas fait pour le dire à Louis-José Houde. J'ai juste voulu souligner cet événement de ma vie qui m'a tellement appris. Je voulais me souvenir de cette époque-là. Ça a été marquant, mais il n'y a pas eu que du négatif. » Parce qu'il y a eu beaucoup de rires aussi. En tout, Marylou sera allée voir *Suivre la parade* 16 fois en deux ans et demi !

Aujourd'hui, elle garde de l'affection pour cet artiste qui l'a vue grandir. « C'est drôle, je l'ai croisé par hasard dans un bar de Chicoutimi pendant sa tournée suivante. Je me sentais presque mal, parce que je ne savais même pas qu'il était en spectacle ce soir-là ! (Rires.) Mais c'était super sympathique de le voir. C'est un humoriste qui ose aller dans des zones où d'autres ne vont pas. Il explore les limites de ce qui est triste, de ce que tout le monde connaît au fond parce qu'on vit tous des épreuves ou des étapes dans nos vies. Il a une profondeur. »

Louis-José Houde est probablement l'un des plus rigoureux dans son domaine. Si la tâche de faire rire peut sembler légère, lui la prend très au sérieux.

«

J'aime ça voir le public dans la salle. L'éclairage est fait pour que je voie le plus grand nombre de rangées possible. J'adore observer un couple qui se regarde rire, des gens qui se retournent l'un vers l'autre quand je raconte quelque chose qui les touche directement. Je sais pas pourquoi, un couple qui se regarde et qui rit avec complicité, je trouve ça vraiment beau.

»

Faire rire est souvent accompagné d'un effet secondaire non négligeable : faire du bien. La première réponse du public, il la reçoit immédiatement en éclats de rire. Mais la discussion se poursuit après, quand il rencontre ses spectateurs ou reçoit leurs commentaires via les réseaux sociaux. « Ça me touche toujours. Surtout les gars. Pas "surtout", mais c'est juste qu'il y a un plus grand nombre de filles qui m'écrivent. Des fois, je reçois un courriel d'un gars de mon âge, ou de 30 ans, qui raconte ce que le *show* lui a fait parce qu'il va mal, ou peu importe la raison. Ça, c'est toujours très touchant. »

La quintessence de l'utilité pour un humoriste – au dire de Louis-José Houde –, ce sont les gens aux soins palliatifs qui demandent à voir un spectacle, juste pour rire. « Je ne suis sûrement pas le seul humoriste à qui c'est arrivé, mais je reçois des témoignages de proches de gens en fin de vie qui voulaient regarder le DVD de mon spectacle dans les derniers jours. C'est la plus belle raison de faire ce métier-là. Tu ne peux pas te sentir plus utile que quand quelqu'un te dit : "Mon père savait qu'il s'en allait et il voulait toujours regarder ton spectacle." Après ça, il ne peut plus y avoir rien d'autre. Ça pourrait arrêter demain, et j'aurais fait ce que j'avais à faire. »

Mais Louis-José Houde n'arrêtera pas demain. Il continue à écrire et à faire rire. Parce que ces histoires-là teintent maintenant sa façon de faire de l'humour. « Tout ça, c'est constructif et enrichissant. Ça nous pousse à essayer de faire plus, d'améliorer et d'approfondir notre matériel. On se dit : "OK, si ça lui a fait du bien à elle ou à lui, peut-être que je peux faire du bien à plus de monde. Ça vaut peut-être la peine d'essayer des affaires plus audacieuses, parce que ça va peut-être rejoindre d'autres gens." »

Et parfois, ce sont les gens qui lui écrivent qui font œuvre utile pour l'artiste. Louis-José semble tout à coup timide de faire partager une anecdote qui lève le voile sur un pan plus sensible de sa personnalité.

« Il y a un courriel d'une jeune fille que j'ai reçu en 2010 que j'accroche encore dans ma loge au Gala de l'ADISQ. Les beaux courriels, je les imprime, et des fois, j'en ressors un. Celui-là, je l'avais reçu dans le temps des Fêtes. C'est pas que je le traîne avec moi, mais je le relis de temps en temps. »

C'est juste un commentaire qui t'a touché ?
« Cette petite fille connaissait beaucoup de difficultés, elle n'avait pas une vie normale ni facile. Son existence était remplie d'adversité et j'ai beaucoup pleuré la première fois que j'ai lu son courriel. Et je l'accroche dans ma loge à l'ADISQ chaque année... »

Penses-tu qu'elle sait ce que ça t'a fait de lire ça ?
« Non. »

À BOUT DE BRAS

Après nous

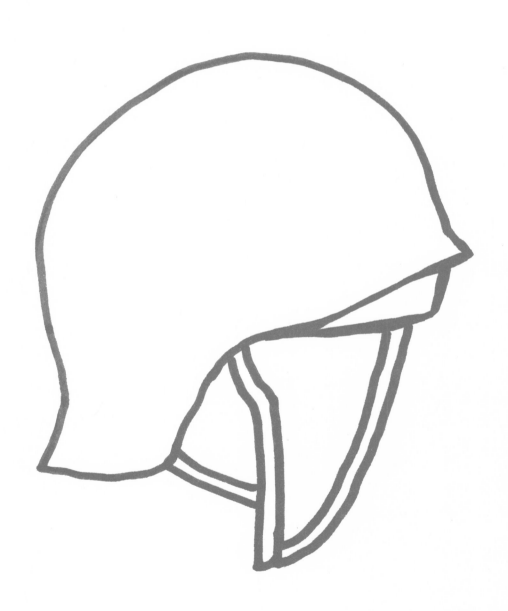

Après nous *est le titre d'une chanson qui figure sur le premier album de musique populaire du ténor Marc Hervieux.*

Andrée Fleury, 57 ans, a l'habitude d'être seule.

Mariée à un militaire retraité, les missions à l'étranger, elle connaît. Cette fois, c'est au Soudan que son époux est parti prêter main-forte à l'ONU, à titre de consultant. Il doit évaluer la pertinence de changements organisationnels affectant les volontaires des Nations unies. Le 31 octobre 2010, elle attend le retour de Gaston. Il rentre dans une semaine, le 7 novembre. Les moyens de communication étant limités, il donne peu de nouvelles. Mais comme c'est l'anniversaire d'un de leurs fils, Andrée sait que son mari écrira.

Il n'a jamais manqué un anniversaire, peu importe où il se trouvait sur la planète.

En ouvrant sa boîte de messagerie, elle a le plaisir de voir apparaître le nom de son homme. La missive est toutefois moins réjouissante. Il lui apprend que son ordinateur et sa caméra ont été confisqués par la sécurité nationale pour motif d'espionnage. Mais surtout, il lui demande de souhaiter un joyeux anniversaire à Jean-François, leur garçon.

Il n'a jamais manqué un anniversaire.

Au moment de lire son message, parce que le ton semble évoquer un simple contretemps administratif, Andrée Fleury ne s'inquiète pas outre mesure.

Puis le 7 novembre arrive. Mais pas Gaston.

Les jours suivants, la tension monte. Normalement, il aurait dû la contacter dès son escale en Belgique. Mais rien. Le 13 novembre, Andrée cède à la panique. Elle se souvient précisément de la date, car cette journée est toujours chargée en émotions. Ce jour-là, en 1983, elle a donné naissance à un autre fils. Jean-Philippe. La vie le leur a repris quand il avait 7 ans. Une tumeur au cerveau.

Andrée a l'habitude d'être seule, mais là, c'en est trop.

Bouleversée et inquiète, elle éclate en sanglots et se dirige vers le bureau de son mari, puis elle lève les yeux au ciel et parle à son fils. « Jean-Philippe, fais quelque chose. Tu dois t'occuper de ton père, il est mal pris, il a besoin de toi. »

Une fois la mission confiée, elle regarde autour d'elle, cherchant quelque chose à faire. Elle aperçoit l'album de Marc Hervieux qu'elle a acheté à son mari le Noël précédent. Elle décide de l'écouter pour essayer de se changer les idées. Elle passe rapidement la première chanson. Puis commence la deuxième pièce : *Après nous*.

La voix du ténor semble lui parler directement :

Après nous
Que restera-t-il debout?
Un désert, un hiver
Que laisserons-nous sur la terre?

Andrée ne sait pas que cette chanson a été inspirée par le désarroi du chanteur au lendemain des attentats du 11 septembre 2001. À ce moment-là, elle ne reçoit que des mots qui résonnent loin en elle. Le désert où se trouve son mari, l'hiver québécois qui arrive. Puis tout à coup, le refrain.

Ce soir je veux croire aux anges
Voler dans l'espoir
Ce soir une prière au Gange
Que tout se répare

C'est exactement ce qu'elle vient de faire : prier. Mystifiée par ce moment de synchronicité, Andrée interprète ce hasard comme la réponse que lui envoie son fils. Il lui ramènera Gaston, elle doit garder espoir.

Le lendemain, elle prend contact avec l'ambassade canadienne. Un ancien général de l'armée l'aide à faire le suivi avec la compagnie privée pour laquelle son mari travaille au Soudan. Même si elle sait qu'il est considéré comme un cas prioritaire, elle n'a aucune nouvelle de l'évolution du dossier. C'est le néant pendant tout le mois de novembre. Un vide angoissant qui l'aspire parfois dans de grands moments de détresse. Quand la peur l'empêche de dormir la nuit, elle se lève pour écouter la chanson. Trois ou quatre fois d'affilée. Jusqu'à ce qu'elle se sente mieux. Et ça marche.

Les mots chantés par Marc Hervieux lui redonnent espoir, la mélodie la porte. Cela lui permet de croire que son petit ange au ciel veille sur son papa à lui. « Cette chanson-là m'apportait une certaine sérénité. Je descendais en bas et je l'écoutais. Elle me donnait l'espoir que mon mari revienne. Ça m'apaisait vraiment. La pression retombait, j'arrêtais de pleurer et je pouvais continuer. »

La détention de Gaston aura duré 49 jours. Le 17 décembre 2010, Andrée reçoit enfin un courriel ayant comme objet : SAUVETAGE.

Mon amour, nous sommes enfin arrivés à Bruxelles après un départ très rapide d'El Fasher. On nous a autorisé un vol spécial dans un avion du genre affaires avec nous seuls comme passagers. Je t'aime et j'ai hâte de me retrouver dans tes bras.

Gaston

Quand il arrivera enfin à la maison, elle lui fera entendre la chanson qui l'aura tenue à bout de bras pendant toute cette absence.

Marc Hervieux a été mis au fait de cette histoire assez rapidement. Deux mois après le retour de Gaston, le couple est allé le voir en spectacle. Il se souvient très bien d'Andrée. « C'est quand même fascinant. On reçoit beaucoup de témoignages de toutes sortes, souvent liés à la maladie. Il ne faut pas sous-estimer l'effet qu'on a sur les gens. On ne le sait pas toujours, mais parfois il y a des histoires qui se rendent jusqu'à nous. »

Une dame de Trois-Rivières lui a déjà confié que cette même chanson lui avait apporté du réconfort pendant ses traitements contre le cancer. Deux réalités loin de ce qui a inspiré la pièce. « Le matin du 11 septembre 2001, je devais prendre la route pour aller de Québec au Metropolitan Opera à New York, où je travaillais comme doublure. Je me suis plutôt retrouvé devant le téléviseur à bercer ma fille et à me demander pourquoi j'avais mis un autre humain sur cette terre. »

L'auteur Fred Baron est parti de ce questionnement pour écrire les paroles de la chanson, et Jean-François Breau l'a mise en musique.

«

C'est ça la force réelle d'une
œuvre d'art. Que ce soit une
chanson, une peinture, une
sculpture, une chorégraphie.
On peut tous se permettre de
l'interpréter selon qui on est,
avec notre histoire à nous.
Il y a mille personnes,
il y a mille histoires.

»

Le ténor a été en mesure de valider cette théorie quand il a fait une tournée partout au Québec pour son album *A Napoli*, qui compte des chansons en italien, en sicilien et en napolitain. « Mes producteurs n'étaient vraiment pas convaincus que ça allait fonctionner. Eh bien, j'ai finalement fait ce spectacle une soixantaine de fois, de Dolbeau à Matane. Je chantais toute la soirée des chansons dont 99,9 % des gens ne comprenaient pas un seul mot. Après le spectacle, les gens venaient me dire que la musique les emmenait quelque part, et les mots aussi, même s'ils ne les comprenaient pas. Ils se créaient leur propre histoire. »

Des fans lui ont également dit qu'après l'avoir vu sur scène, ils avaient osé assister à un concert de musique classique ou à un opéra pour la première fois. Marc Hervieux en retire une grande fierté.

Il ne s'en cache pas, apprendre que son œuvre a fait une différence dans la vie de quelqu'un est grisant et très valorisant. « En toute modestie, il faut être nono pour ne pas ressentir l'amour du public. Tu le sens que les gens t'apprécient et t'aiment. Tu dois te concentrer sur eux, plutôt que sur ceux qui ne t'aiment pas. C'est sûr que tu ne peux pas plaire à tout le monde. En vieillissant, je me dis que je NE VEUX PAS plaire à tout le monde. Quand je tombe sur un commentaire négatif ou méchant, instantanément je me mets à penser à une personne pour qui j'ai fait une différence. »

Cette personne sera peut-être Andrée Fleury. Ou cette autre dame qui vient le voir souvent en spectacle. Il peut la croiser facilement une vingtaine de soirs par année. « Un jour, elle m'a donné une lettre d'une quinzaine de pages. Elle commençait en me disant : "N'aie pas peur, je ne suis pas folle. Je vais te raconter ma vie." Elle avait été victime d'un mari violent. Elle s'était sauvée de lui avec ses trois filles. Toute sa vie, elle avait dû se cacher. Elle déménageait en pleine nuit quand elle entendait dire qu'il avait été aperçu dans le coin. Un jour, il est mort. Et plutôt que de la soulager, c'est comme si cet événement avait fait lâcher ses nerfs. Elle n'était plus capable de sortir de chez elle. Pendant des années. Un jour, en me voyant à la télé, elle a décidé d'acheter un billet pour mon spectacle. Elle n'a pas réussi à venir. À plusieurs reprises, elle a acheté un billet, sans succès. Et finalement, elle y est arrivée. Elle est rentrée chez elle en vitesse tout de suite après le concert. Mais aujourd'hui, elle est super dynamique, elle va voir l'Orchestre symphonique de Montréal, plein de spectacles; je ne suis même pas obligé d'être dans le *show*! Ça fait neuf ans de ça. J'ai été sa thérapie. »

SE LAISSER EMPORTER

EMPORTER

Incendies

Incendies *est le quatrième long métrage de Denis Villeneuve. Le scénario est adapté d'une pièce de théâtre de Wajdi Mouawad.*

Bienvenue à North Battleford, localité au nord-est de la Saskatchewan. Population : 14 000.

Si vous voulez faire un tour de ville, le commandant Éric Toulouse de la GRC s'offre volontiers. D'ailleurs, vous apprécierez peut-être la compagnie d'un policier dans la municipalité canadienne qui trône au sommet d'un sinistre palmarès : celui du taux de crimes sévères le plus élevé *per capita*.

« Je décris cet endroit comme le tiers-monde du Canada », raconte tristement le policier originaire de Beauceville. Éric cumule deux années de patrouille sur le terrain dans sa jeune carrière. Ou plutôt dans sa vocation.

La majorité de ses interventions sont liées à des abus de substances. Drogue, alcool, violence et extrême pauvreté, c'est le quotidien qu'il côtoie. Dans une maison de 90 mètres carrés, il n'est pas rare de compter plus de 10 habitants. « Des conditions insalubres où je ne laisserais même pas vivre mes chiens, je te jure. Quand tu vois des poupons là-dedans... c'est ça que je trouve le plus difficile. C'est pas rare de voir des enfants qui élèvent d'autres enfants parce que les parents sont saouls, drogués ou partis on ne sait pas où, des enfants de 13 ou 14 ans qui ont déjà des feuilles de route de centaines d'arrestations. »

Les quarts de travail durent environ 12 heures. Les policiers ont rarement le temps de manger tellement le travail n'arrête jamais. « Parfois, je me fais réveiller à minuit par ma voisine qui cogne à ma porte parce qu'elle n'est pas capable de contrôler son fils. Il faut pouvoir faire la part des choses, séparer le personnel du professionnel. Mais moi, je suis un passionné dans la vie. Alors c'est un peu *tough*. »

Pour s'échapper, Éric regarde des films. Tous les jours. En revenant de travailler, il a besoin de s'évader quelques heures avant d'atterrir dans sa vie. « Matin ou soir, quand je rentre, je dois regarder un ou deux films en ligne. Pour décrocher. J'ai 2 500 DVD à la maison. Quand je déménage, j'ai plus de films à transporter que d'effets personnels. »

Parfois, il va au cinéma, mais pas à North Battleford. « J'y suis allé juste une fois avec ma blonde. J'étais entouré de gens que j'avais déjà arrêtés. Je ne me sentais pas très à l'aise. » Il fait donc le trajet d'une heure et quart de route qui le sépare de Saskatoon pour aller voir des nouveautés. Un dimanche de novembre 2016, c'était *Arrival*, de Denis Villeneuve.

« J'en ai parlé pendant deux jours. J'ai tout trouvé incroyable : la trame sonore, la direction photo, les acteurs... Amy Adams, surtout. Quand on regarde beaucoup de cinéma, les *twists*, on les voit venir. Là, j'ai pas vu venir la fin. J'ai eu envie de le revoir. »

Plutôt que d'acheter un deuxième billet, Éric a eu l'idée d'écrire à Denis Villeneuve en revenant chez lui. « Pour moi, Villeneuve est un réalisateur de la trempe de Christopher Nolan et de Cameron Crowe. Des gens qui ont un talent fou. Pour utiliser une métaphore de hockey, il est comme le Jean Béliveau du cinéma. Le gars qui va être reconnu à long terme pour avoir rendu les autres autour de lui meilleurs. Je trouvais ça important de lui écrire. Dans la vie, on reçoit souvent des pots, mais les fleurs sont rares. Venant d'un *nobody* comme moi dans le fin fond des Prairies, je me disais que ça lui ferait peut-être plaisir. »

Est-ce que son film va intéresser les gens ? Les émouvoir ? Denis Villeneuve n'en a aucune idée quand il travaille. Tout ce qu'il sait, c'est qu'il choisit des histoires avec lesquelles il entretient un lien intime et qui peuvent avoir une portée. « C'est un pari, *a shot in the dark*. Je ne peux pas savoir à l'avance ce qui arrivera. »

Une fois son film sorti, c'est carrément dans la rue que Denis découvre ce qu'il a provoqué. « Souvent, je me fais aborder par quelqu'un qui me reconnaît. Les gens le font généralement de manière très pudique et très brève. Ça me touche, parce que ce sont des gens de toutes les couches de la société, qui sont parfois loin de ma réalité, mais qui sont remués par mon travail. C'est ce qui m'émeut le plus. » Il suffit de quelques secondes pour transmettre l'essentiel. « Un jour, au coin de l'avenue du Parc et de la rue Saint-Viateur, à Montréal, une madame dans la soixantaine m'a pris dans ses bras et s'est mise à pleurer. Elle m'a dit : "Merci pour *Polytechnique*." Et elle est repartie. »

Une autre fois, un lundi matin de novembre, il a reçu le courriel d'un policier du fin fond des Prairies.

Bonjour M. Villeneuve,

Il y a bien longtemps que je voulais prendre quelques minutes pour vous écrire, mais je n'ai pas eu l'audace de le faire avant. Je suis une personne bien ordinaire, menant une vie bien simple. Je suis policier pour la Gendarmerie royale du Canada, et déployé dans les hauteurs de la Saskatchewan, loin de ma famille et de mes amis. Le cinéma est ma principale source de relaxation, mon échappatoire, ce qui me permet de décrocher de toute cette folie avec laquelle je joue au quotidien.
[...]
Alors voilà. Je voulais simplement vous dire merci. Merci pour votre persévérance, merci pour votre travail, votre vision, votre talent. Merci de nous raconter des histoires à votre manière et de faire rayonner le Québec à travers le monde.

Bien à vous,

Éric

Ce message, en plus d'avoir atteint Denis droit au cœur, a ravivé un souvenir en lui : « J'ai des amis thérapeutes qui travaillent avec des gens vivant dans des conditions difficiles . Lors d'un souper, on parlait de nos métiers. Je me disais : "Eux, ils aident des gens, ils ont vraiment les deux mains dans la merde." Et je me souviens d'avoir dit : "Moi, mon métier, il n'est pas utile." Et ils ont répondu : "NON ! Attends une minute. Moi quand je reviens à la maison le soir, j'ai besoin de toi." Ça m'avait fait beaucoup de bien de comprendre que cette idée de raconter des histoires, pour moi, ce n'est pas de l'ordre du divertissement. C'est de l'ordre du baume et de l'apaisement. Je veux réfléchir à ce qui se passe autour et faire rêver. »

Si les commentaires qu'il reçoit sont souvent liés au plus récent film qu'il a tourné, Denis Villeneuve se réjouit de découvrir que le long métrage *Incendies* est celui qui résiste le plus au passage du temps. « J'en entends encore parler régulièrement. Ça me touche qu'il traverse les années. C'est un film qui semble encore vivant chez les gens. »

Justement, le plus ardent défenseur d'*Incendies* milite au poste de police de North Battleford. Éric Toulouse a la chance de travailler avec des collègues qui partagent sa passion. « On parle souvent de cinéma au boulot. Les gens qui me demandent quel est mon film préféré ont toujours droit à la même réponse : *Incendies*. Ceux qui ne l'ont pas vu se retrouvent avec le DVD entre les mains. »

Il se souvient de la première fois qu'il a vu ce film, alors qu'il habitait encore au Québec. « Je me suis levé debout dans mon salon et j'ai lâché un sacre lors de la scène de la piscine à la fin. Il était tard la nuit et j'ai réveillé tout le monde chez nous. Ça m'a vraiment, vraiment, vraiment touché. »

Une réaction physique semblable avait pris Denis Villeneuve de court lorsqu'il avait vu la pièce de théâtre de Wajdi Mouawad. « En sortant, ma conjointe de l'époque m'a dit : "Toi, tu vas faire un film." On est sortis sur les genoux, ça durait 3 heures 30, presque 4 heures. Il n'y avait plus d'oxygène dans le Théâtre de Quat'Sous. J'en garde un souvenir vif », relate le réalisateur.

C'était l'œuvre qu'il devait voir à ce moment-là. La magie du hasard qui prend tout son sens quand on en cherche justement un. « Wajdi a écrit et mis en scène une pièce où il voulait incarner le processus de guérison d'un être humain qui doit accepter son passé, faire la paix avec ses fantômes, les arracher de son être. Devenir un adulte. Se départir des colères de l'enfance. C'est l'une des œuvres fortes que j'ai vues dans ma vie. Cette pièce a pris un sens, une puissance à cause de ce que je vivais à moment-là. C'était une période où j'avais arrêté de faire du cinéma. J'étais en train de réfléchir à ce que je voulais faire. Je me disais que si je refaisais un film un jour, ce serait un film solide qui allait apporter quelque chose. Quand j'ai vu la pièce de Wajdi, j'ai été profondément bouleversé. C'est pas pour rien que j'ai passé cinq ou six ans à l'adapter. »

Il devait en faire du cinéma, parce que c'est ce médium qu'il préfère pour raconter des histoires. « Faire des films c'est raconter. L'être humain fait ça depuis la nuit des temps. Quand les chasseurs revenaient, il y avait toujours quelqu'un autour du feu qui racontait des histoires. On a toujours eu besoin de quelqu'un qui interprète le monde, qui essaie de comprendre les choses, de répéter ce qui s'est passé, de perpétuer la mémoire. Les cinéastes ou les écrivains sont les conteurs d'aujourd'hui. »

Quand il essayait d'expliquer le bien-être que lui procurait le cinéma, Éric Toulouse avait laissé tomber ces phrases : « Ça peut avoir l'air niaiseux. Mais j'aime ça me faire raconter des histoires, depuis que je suis tout petit. Le cinéma, c'est ma façon de me raconter des histoires. »

Un point qu'il a en commun avec son réalisateur préféré. « J'adore le cinéma », insiste Denis Villeneuve. « J'aime être spectateur et me laisser emporter. C'est un médium tellement puissant. Je suis capable d'oublier mon rôle de réalisateur. J'ai un plaisir immense à me laisser bercer par un film. C'est mon activité préférée dans la vie. »

De Los Angeles à North Battleford, le quotidien diffère, mais l'exutoire reste le même.

À TOUT ÂGE

Waltzing Matilda

Margie Gillis est une danseuse et chorégraphe montréalaise reconnue à l'international. Elle a créé une centaine de chorégraphies et consacre également beaucoup de son temps à l'enseignement.

Sa maison a brûlé.

Tout ce qui s'y trouvait est devenu cendres.

Le 28 mai 1980, Véronique Lacourse a vu sa vie matérielle s'envoler en fumée : le travail accumulé depuis son retour sur les bancs d'école, ses notes manuscrites, toute la recherche pour son mémoire de maîtrise en psychologie. Ses souvenirs. Les photos de son fils, âgé de 16 ans. Il était dans la maison quand l'incendie s'est déclaré, mais il a réussi à fuir le brasier en sautant par une fenêtre. Il est tout ce qui lui reste.

À l'époque, elle a 37 ans. Elle est figée par la détresse. Par la page blanche de sa vie sur laquelle elle ne sait pas quoi écrire. Elle est convaincue que chaque épreuve permet de rebondir. Mais elle ne voit qu'un saut dans le vide devant elle.

Cet état d'âme l'habite toujours quelques mois plus tard, quand un article dans le journal local de Trois-Rivières attire son attention. On y parle de la démarche artistique de la danseuse contemporaine Margie Gillis. Véronique ne la connaît pas. Pourtant, elle pourrait avoir écrit elle-même chaque citation de la danseuse. Celle-ci nomme le sentiment d'impuissance qui l'engourdissait quand elle a fait une dépression. Raconte que la seule chose qui lui redonnait le désir de vivre, c'est quand elle entendait *Waltzing Matilda* de Tom Waits et qu'elle dansait. Elle avait touché le ciel et l'enfer, et c'était maintenant le cœur de son travail de chorégraphe : quelqu'un est seul dans un espace immense; pour attirer l'attention, il lui faut faire des gestes larges, de grands bonds.

La curiosité de Véronique est piquée. Elle veut en savoir plus. Et comme le spectacle de Margie Gillis n'est prévu qu'un mois plus tard, elle décide de devancer le destin et de partir à la recherche de la chorégraphe et danseuse à Montréal. Elle pense d'abord aller faire le tour des différents studios de danse, mais elle tombe sur le numéro personnel de Margie dans le bottin téléphonique. Elle le compose et entend son charmant accent au bout du fil. « Ça a été un vrai choc. Je n'étais pas prête à la trouver tout de suite, raconte Véronique. Je me sentais mal, je me disais que c'était une intrusion épouvantable dans sa vie. Je lui ai raconté mon histoire et elle m'a simplement dit :

"Tu peux venir."

Elles se sont donc rencontrées sur le boulevard Saint-Laurent, dans l'appartement de Margie qui lui servait aussi d'atelier de danse. Les deux femmes ont discuté et, rapidement, la chorégraphe a convaincu Véronique de se mettre à danser. « Tu sais, Véronique, ce qui t'anime, il faut que ça vive. Sinon, tu vas en mourir. » Commencer à danser à 37 ans lui semblait complètement irréaliste. En même temps, rien ne lui avait jamais procuré un sentiment aussi fort que cette proposition.

Quelques semaines plus tard, elle a retrouvé Margie pour son spectacle à Drummondville. En la voyant danser sur *Waltzing Matilda*, elle prend sa décision : elle va déménager à Montréal, rencontrer des professeurs, faire ce qu'il faut pour se mettre en mouvement. « Pendant une fraction de seconde, je me suis dit que ce serait plus simple de me mettre à la poésie ou à la peinture, à l'âge que j'avais, avec le corps que j'avais. Inutile de vous dire que mes proches pensaient que je me lançais dans une folie. »

Mais la pulsion est plus forte que la raison. Véronique se trouve un petit boulot à l'école de musique Vincent-d'Indy et commence un apprentissage de la danse, avec des professeurs recommandés par Margie Gillis. Elle est bien consciente qu'elle ne fera pas carrière dans ce domaine. Elle espère seulement que cette démarche pourra aboutir sur un renouveau. « J'ai compris que la création s'enclenchait quand le geste accompagnait ce qui se passait à l'intérieur. J'ai senti mon corps s'ouvrir et enfin la possibilité de faire autre chose de ma vie. La danse m'a reconstruite. »

Quelques années plus tard, Véronique donne son premier spectacle solo à L'Anglicane de Lévis. Plusieurs personnes assistent à l'événement, mais un seul spectateur lui importe : son fils, désormais âgé de 30 ans. Elle ne lui a pas dit qu'elle danserait, elle l'a simplement invité à venir. « Quand il m'a vue arriver sur scène, j'ai senti la peur dans ses yeux. J'ai pris la parole et j'ai dit : "Quand tu as fait tes premiers pas, Jean-François, je n'ai pas eu peur que tu tombes, je n'ai pas eu peur pour toi, je te sentais assez fort. Ce soir, je veux juste que tu fasses la même chose avec moi." » Et Véronique a dansé sur *Les trois cloches*, une chanson d'Édith Piaf qui lui a inspiré le prénom de son fils.

Elle a par la suite gagné sa vie en donnant des ateliers de mouvement corporel. Elle conserve une immense admiration pour Margie, même si elle n'a pas gardé contact avec elle. « La réalité de Margie au début des années 1980, c'est qu'elle faisait ses premiers pas au Québec dans des endroits où les gens n'étaient pas avertis de sa démarche. J'en ai vu sortir parce que pour eux, ce n'était pas de la danse. Ça prenait du courage pour continuer. Mais elle a réussi à toucher des gens aussi simples que moi. »

Tout le monde ne se met pas à la danse en sortant d'un spectacle de Margie Gillis. « Non, ce n'est pas nécessaire que les gens dansent à la sortie, rigole la chorégraphe qui a aujourd'hui 63 ans. Il y a beaucoup de spectateurs qui repartent en ayant été simplement touchés par mon travail, parce qu'il correspond à un défi qu'ils ont dans leur vie. La danse les aide à faire face à leurs problèmes, elle ouvre une partie de leur cœur et peut les emmener dans une nouvelle direction. »

Le passage de la tristesse à la sagesse est au cœur de l'œuvre de Margie Gillis. L'histoire de Véronique Lacourse illustre cette possible métamorphose. « C'est pour ça que j'ai commencé à danser devant les autres. Je me demandais : "Est-ce que ça peut les toucher de façon profonde ?" J'ai toujours essayé d'avoir un vocabulaire très naturel. D'être honnête. De montrer jusqu'à quel point on peut transformer nos problèmes en sagesse. À partir du moment où on est capable de laisser aller ce qui nous a blessé, on peut aller vers ce qui peut nous guérir, nous aider. »

Physiquement, ce mouvement ne s'incarne pas toujours de façon esthétique. Margie revendique d'ailleurs le droit de ne pas être jolie.

«

J'ai voulu changer la perception de ce que c'est d'être une femme, le concept de beauté, le concept de force. Je veux que les femmes sachent qu'elles peuvent être fortes, avoir une personnalité complète, pas juste être la petite fille gentille.

»

Si Margie croit en la puissance thérapeutique de l'art, c'est qu'elle en est convaincue depuis qu'elle est toute petite. « Quand j'avais 3 ans, ma mère m'a demandé ce que je voulais être plus tard. J'ai répondu trois choses: Vincent Van Gogh, le Christ ou moi-même. » Encore aujourd'hui, une œuvre de Van Gogh peut la bouleverser. Elle devine donc l'ampleur de ce qui se cache derrière les compliments qu'elle reçoit des spectateurs. « Une personne handicapée qui n'est pas capable de danser parce qu'elle est en fauteuil roulant, mais qui me dit qu'après mon spectacle elle a la danse dans le cœur... Ou cet homme complètement sourd qui m'a vue danser et qui me dit : "C'est la première fois que je suis capable de voir la musique"... Je ne peux pas en parler sans pleurer, même si c'est vraiment positif. C'est touchant de voir qu'il y a des choses en nous qui peuvent s'ouvrir encore, à tout âge. »

LA TRAVAILLEUSE SOCIALE

SOCIALE

Chanson pour hier et demain

Marie-Mai est une chanteuse populaire qui est réputée pour le solide lien qu'elle a développé au fil du temps avec ses fans. Chanson pour hier et demain *est parue sur son premier album,* Inoxydable.

Mardi 14 mars 2017. La tempête de neige qui se prépare sera encore plus redoutable que ce que laissent présager les premiers flocons emportés par les rafales.

Marie-Claude Allard, 19 ans, observe la nature se déchaîner de l'intérieur du Musée d'art contemporain de Montréal, où elle vient de terminer une visite dans le cadre du cours de photo qu'elle suit au cégep. Alors qu'elle appréhende de prendre la route, elle reçoit un appel de son père. Elle sait qu'il devait passer la journée à l'hôpital avec sa grand-mère pour une opération. Il lui dit de venir les rejoindre, que sa grand-mère veut la voir.

En raccrochant, Marie-Claude a le réflexe d'appeler sa mère. Celle-ci est à la maison depuis une semaine, en arrêt de travail. Elle s'est blessée au genou en glissant sur une plaque de glace. Une chute banale qui s'est soldée par une entorse. Ce matin, quand Marie-Claude est partie, elle avait l'air un peu moins souffrante. Mais elle ne répond pas au téléphone. Est-elle aussi allée au chevet de sa belle-mère ?

Pendant le trajet d'une heure qui s'éternise à cause de la tempête, Marie-Claude essaie de ne pas trop s'inquiéter. De toute façon, de tous les scénarios qu'elle aurait pu imaginer, elle n'aurait jamais pu songer à celui qui s'est concrétisé.

C'est sa mère. Elle a fait un arrêt cardiaque, une embolie pulmonaire, à 48 ans. Quand Marie-Claude arrive enfin à sa civière, elle est inconsciente. Elle est déjà partie.

Cette douleur indescriptible quand la vie bascule. Marie-Claude sait qu'aucun mot ne pourra la réconforter. Spontanément, elle pense à cette chanson qu'elle a si souvent écoutée lorsque son grand-père est mort cinq ans plus tôt. La voix de Marie-Mai lui vient en tête.

Je veux pas qu'on me dise que la vie
c'est comme ça
Je voudrais plus voir, j'aimerais
mieux plus sentir
Je veux surtout pas croire que c'est
des choses qui arrivent

Trois semaines plus tard, Marie-Claude raconte son histoire avec le recul de celle qui ne réalise pas encore ce qui s'est passé. « On dirait que la mort de mon grand-père m'a préparée à la mort de ma mère. Les gens disent les mêmes choses. On me dit qu'elle est mieux là-bas. Mais ce n'est pas quelque chose que je veux entendre. Parce que j'aimerais ça qu'elle soit avec moi. »

Dans ce genre de situation, la plupart des gens figent. On ne sait pas comment accueillir la douleur de l'autre. Mais certaines personnes ont un don.

Samedi 1er avril 2017. Cinéma Quartier latin, Montréal. Quelques minutes avant la première médiatique d'un film pour lequel elle a fait du doublage, Marie-Mai se demande honnêtement ce qu'elle fait là.

Pourquoi est-elle dans l'entrée d'un cinéma à se faire maquiller pendant que sa petite fille de deux mois est loin d'elle pour la première fois ? Elle se sent comme si elle débarquait dans un univers parallèle dont elle ne comprend plus les codes. Comment faisait-elle avant ? C'est comme si toute sa vie, elle avait eu un interrupteur à *on*. Les entrevues, les rencontres avec les fans, les sorties publiques : c'était naturel pour elle. En ce moment, elle cherche cet interrupteur pendant qu'on lui fait une dernière retouche avant son entrevue en direct à la télé.

Du coin de l'œil, elle aperçoit une jeune fille. Elle l'a croisée quelques minutes plus tôt dans le stationnement. Elle n'avait pas remarqué qu'elle l'avait suivie. Spontanément, Marie-Mai s'adresse à elle : « Allo, comment ça va ? »

Marie-Claude s'approche et lui dit : « C'est moi qui t'ai écrit pour te dire que ma mère est décédée. »

Bien sûr, Marie-Mai se souvient de ce message. Elle arrête tout et s'approche de Marie-Claude pour la prendre dans ses bras. Soudain, rien d'autre n'importe. Ses soucis existentiels sont relégués loin derrière. « J'ai oublié la première, j'ai oublié les entrevues, je suis allée vers elle pour lui faire un câlin et lui parler. C'était important de créer cette petite bulle immédiatement, malgré l'horaire. »

La chanteuse est complètement bouleversée et se demande comment elle pourra donner une entrevue après avoir vécu ce moment. Quand elle ouvre la porte et entre dans le cinéma, elle sent tout à coup une vague bienfaisante la submerger. Tout lui revient. C'est pour ça qu'elle fait ça. « Cette fille-là a vécu quelque chose qu'aucune fille ne devrait vivre à cet âge. Si ma musique, ma présence peuvent l'aider à passer à travers une période difficile, tant mieux ! En une fraction de seconde, ça m'a rappelé pourquoi je fais du doublage, pourquoi je fais de la musique. C'est pour mes fans. »

Cette rencontre lui a permis de passer outre à la superficialité de ce genre d'événements publics pour revenir à l'essentiel. « Ça m'a reconnectée avec ce qui est important. Je me suis rendu compte de la chance que j'avais de vivre de ma passion, d'avoir une famille, une fille en santé. C'est tout ça que c'est venu brasser. »

Il faut observer Marie-Mai en action avec ses fans pour comprendre que son bouton *on*, c'est celui de l'humanité. Une authentique empathie la lie à ses admirateurs depuis des années. Sans qu'elle rechigne. J'aurais pu lui en parler pendant des heures sans réussir à lui faire admettre qu'elle trouve parfois cela difficile. Elle est chanteuse, mais c'est une travailleuse sociale qui répond à mes questions.

Il est évident qu'une part d'elle se reconnaît dans les fans qui se confient à elle. Marie-Mai l'a raconté souvent : elle avait un déficit de l'attention quand elle était jeune. Son refuge, c'était la musique. Elle comprend donc que d'autres utilisent ce même remède quand rien ne va.

«

J'ai toujours été fascinée par les chansons. Quand j'étais petite, j'ai entendu *Je voudrais voir la mer* à la radio et j'ai demandé à ma mère où était cette chanson avant que Michel Rivard l'écrive. Je ne comprenais pas comment on pouvait faire ressentir des émotions à travers une chanson. Ma mère m'a expliqué le travail d'auteur-compositeur. Ça a été le déclic.

»

Parmi les pièces dont on lui parle souvent, il y a bien sûr *Différents*, qui figure sur son 4ᵉ album, *Miroir*, et qu'elle a écrite pour ses fans. « C'est sorti d'un trait. En 10 minutes, les paroles et la musique étaient là. C'est une chanson simple, mais ça dit tout ce que je voulais leur dire. Mes fans se la sont appropriée et c'est tout ce que je pouvais souhaiter. »

Chanson pour hier et demain est quant à elle tirée du premier album de Marie-Mai. C'est Fred St-Gelais qui l'avait écrite pour son cousin décédé. « Dès que je l'ai entendue, j'ai eu un gros coup de cœur, raconte Marie-Mai. On a essayé de la sortir en extrait radio, mais à ce moment-là, les radios adultes ne me jouaient pas. Je me fais encore souvent parler de cette pièce. C'est un incontournable qui est passé sous le radar. »

Mais pas sous celui de Marie-Claude, à qui cette chanson a mis du baume au cœur dans des moments terribles. Et Marie-Claude, sans le savoir, a réveillé quelque chose qui dormait en Marie-Mai. « Des rencontres comme ça, c'est un déclencheur. Je ressens maintenant le besoin d'écrire, absolument. Je dois dire quelque chose, avoir un propos. Et cette volonté est plus forte que tout », conclut Marie-Mai.

NAÎTRE DE RIRE

Être

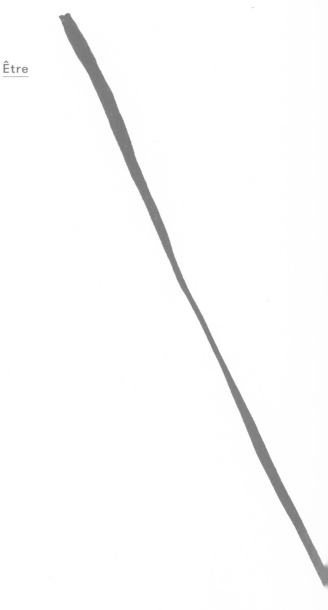

André Sauvé marie rire et philosophie comme personne. On dit que dans son spectacle Être, il fait de l'humour existentiel.

La chambre de l'hôpital Anna-Laberge de Châteauguay est plongée dans la noirceur. L'infirmière se fait discrète. Le futur papa est en retrait du lit, comme le lui a demandé son amoureuse. Emilie Villeneuve, 28 ans, a besoin de concentration. Elle donne naissance à son premier enfant. De nature anxieuse, elle sait qu'elle doit à tout prix éviter de céder au stress.

Dans sa tête, elle visualise une image de cercle qui s'agrandit à chacune des contractions. Le truc fonctionne. Elle se laisse aller à ses pensées quand tout à coup, au milieu d'une contraction, elle entend la voix de l'humoriste André Sauvé. « Ouvrrrrrre le canal ! » résonne dans sa tête avec un roulement de *r* exagéré. Emilie pouffe de rire en repensant à ce sketch de l'émission *3600 secondes d'extase* qu'elle a regardé quelques semaines plus tôt avec sa meilleure amie. Elle ne se souvient même plus de quoi l'humoriste parlait. Elle se rappelle juste avoir ri aux larmes quand il utilisait à répétition l'expression « ouvrrrrre le canal ». Au bout de cette longue nuit de labeur, ce souvenir absurde remonte à la surface et la fait rigoler entre ses contractions. Elle se surprend même à répéter cette phrase comme un mantra.

Alors que le jour pointe, Emilie se met à douter que l'humour soit le seul médicament auquel elle aura recours. Craignant que son accouchement s'éternise, elle envoie son chum Mathieu se chercher un café. Toujours aussi respectueux des volontés de sa douce, le futur papa s'éclipse pour aller se procurer la dose de caféine qui lui sera nécessaire pour affronter la journée qui commence. « J'en ai profité pour dire à l'infirmière que ça devenait trop douloureux, rappelle Emilie. Comme je ne m'étais pas plainte de la nuit, elle a fait une évaluation et m'a annoncé que j'étais rendue à la poussée. »

Quand son amoureux revient dans la chambre, le calme a fait place au branle-bas de combat final. Trois poussées plus tard, le petit Hubert commence sa vie, le 3 avril 2008 à 5 h 40.

Mathieu coupe le cordon ombilical et le poupon peut se lover en peau à peau sur la poitrine de celle qu'il appellera maman. Envahi par l'émotion, le jeune papa reprend son café dans ses mains : il est encore chaud.

« À la blague, il dit aujourd'hui que c'est la dernière fois qu'il a bu un café chaud ! » s'esclaffe Emilie, huit ans et un deuxième enfant plus tard.

Si l'expression « mourir de rire » est consacrée, il faudrait maintenant introduire son antithèse. On peut aussi naître de rire.

« C'est bizarre parce que je ne suis pas un bon public d'humour. Je n'en consomme pas beaucoup. Quand je dois travailler avec des humoristes dans le cadre de mon boulot, j'ai toujours peur de ne pas avoir la bonne réaction », confie Emilie Villeneuve, journaliste et éditrice. André Sauvé fait figure d'exception dans son paysage culturel. Elle apprécie la finesse de son propos. « On sent que c'est empreint de toute son expérience de vie, de sa psychologie. C'est quelqu'un qui a voulu se guérir et qui veut aider les autres. C'est ce que je sens dans son travail. »

—

La réflexion au-delà (ou en dessous) du rire est au cœur de l'œuvre d'André Sauvé.

Quand il écrit, il se nourrit d'abord des questionnements existentiels qui peuplent son quotidien. Il sait qu'il atteint sa cible quand il amène son public à rire aux éclats, mais aussi à réfléchir. Le commentaire qu'on lui fait le plus souvent à la fin d'un spectacle ? « *Oh my God*, tu me fais me sentir plus normal. J'ai l'impression que tu es allé faire un tour dans ma tête. » Ce compliment le touche, mais le pousse également à philosopher sur ce tabou qu'est le monde intérieur. « Les gens ne parlent pas de ça. Ils ne s'affichent pas, par peur de mal paraître. Comme si nos réflexions profondes étaient un sujet à éviter », nous dit-il.

En plus de l'amener à se questionner, ce même compliment a un revers qui le désole.

«

Souvent, les gens disent :
"Je me sens tout seul."
Ça m'attriste, cette solitude
qu'on porte par rapport au
monde intérieur qu'on cache.
Certains en arrivent même à
ne plus vouloir vivre, tellement
à l'intérieur, ça ne vit pas. Il
faut donner de l'air à cet espace
qu'on a en dedans.

»

L'art peut sauver une vie, André Sauvé n'en doute point. Il l'a même dit à Diane Dufresne qui, par son excentricité, l'a aidé à passer à travers son adolescence. « J'étais ému quand je l'ai rencontrée et je lui ai raconté le bien qu'elle m'avait fait. J'ai haï le secondaire, l'adolescence et tout ça. Cette folie que Diane avait me troublait beaucoup. Je me disais : "Je suis pas tout seul." Quelque part, elle m'a sauvé de la vie. Pas que je voulais mourir, mais elle a sauvé une vie que je portais en dedans de moi. » Il peut ainsi imaginer la portée que son propre spectacle peut avoir dans la vie de quelqu'un.

L'œuvre d'André Sauvé n'est pas qu'utile à ses semblables, elle est essentielle pour vulgariser des états que certaines personnes ne peuvent pas comprendre, parce qu'elles ne les ont jamais vécus. Par exemple, les sketchs de l'humoriste nous permettent de plonger dans la psyché d'une personne anxieuse. « On veut pas le sawouère, on veut le wouère », disait son mentor, Yvon Deschamps. C'est exactement ce qu'il fait dans le numéro où il tente de survivre socialement à un cocktail. Un événement anodin pour la plupart des gens qui se transforme en cauchemar pour d'autres. Quand on a atteint les limites de l'empathie, il n'y a rien comme être assis dans une salle et regarder un artiste nous illustrer ce qui ne se voit pas.

André Sauvé s'étonne lui-même du large public qu'il rassemble. « Un chauffeur de *truck* avec la casquette à l'envers m'a dit : "Heille, toé j't'aime !" Moi ça me touche. Un gars qui chauffe un *truck* et qui est proche de son moi intérieur, c'est pas la première image qui nous vient en tête, mais il en a un moi intérieur lui aussi. Ça me fait extrêmement plaisir de toucher un large public. » Même que parfois, ça se rend jusqu'en salle d'accouchement...

—

Emilie est finalement allée voir le spectacle *Être* avec sa complice de fous rires, sa meilleure amie Catherine, qui elle aussi a appliqué le mantra humoristique « Ouvrrrrre le canal » pendant son accouchement. « Elle a accouché naturellement. L'humour d'André Sauvé, c'est de l'ordre de la péridurale : ça détend et ça fait naître des belles choses », conclut Emilie.

SON PATRON

Les hirondelles

Jean-François Pauzé est le parolier des Cowboys Fringants. Il a plus de 100 chansons au compteur depuis la création du groupe en 1996.

Pascal Adam stationne sa BMW devant la maison des clients qu'il vient rencontrer. En enlevant la clé du contact, il entend la voix de son patron dans sa tête : « Si tu veux vendre des grosses hypothèques, tu peux pas te promener en minifourgonnette. »

C'est comme ça que le gars qui n'avait jamais rêvé de BMW s'est retrouvé à en conduire une. Ça résume d'ailleurs un peu son parcours professionnel : il a toujours grimpé les échelons sans jamais se questionner. Chaque occasion d'avancement, il l'a saisie. C'est aussi comme ça que le gars qui n'avait pas de formation universitaire en finance a abouti directeur dans une banque.

Il ajuste la cravate qui lui serre le cou et se dirige vers une nouvelle vente. En entrant chez les clients, un couple dans la trentaine, il remarque quelques trophées sur le manteau du foyer. N'y prêtant pas trop attention, Pascal se concentre sur le vif du sujet : les chiffres. Ça fait près d'une demi-heure qu'il discute avec ses clients quand il demande à l'homme, Jean-François, ce qu'il fait dans la vie.

« Je travaille aux Éditions JFP », lui répond-il.

« OK, tu fais quoi aux Éditions JFP ? », demande Pascal en remplissant la paperasse.

« Je suis auteur-compositeur-interprète », précise Jean-François.

Pascal redresse la tête et se tourne vers les trophées dans le salon. Il reconnaît alors les Félix que l'on remet aux gagnants lors du Gala de l'ADISQ.

« C'est moi qui écris les tounes des Cowboys Fringants. »

Ces mots ont l'effet d'une gifle. Pascal devient soudainement très fébrile. Non, il n'est pas groupie. Si c'était le cas, il aurait reconnu Jean-François bien avant, lui qui est aussi le guitariste des Cowboys. Non. Ce qui se passe, c'est que Pascal boit souvent et à grandes lampées les paroles des chansons de l'album *La grand-messe*. La pièce *Plus rien* le met à l'envers, le fait chaque fois douter profondément du chemin qu'il a choisi.

« Je me retrouvais face à un individu qui avait réussi dans son domaine et qui était resté lui-même, raconte-t-il. Je lui parlais comme je pouvais parler à un de mes chums. Moi, je m'habillais en clown tous les matins pour aller jouer dans une pièce de théâtre. Mon métier générait beaucoup de pression et ne me ressemblait pas. Et quand j'écoutais les chansons des Cowboys, chaque fois, je percevais des messages qui me disaient : "OK Pascal, il est temps que tu le fasses, le *move*." »

D'un seul coup, le directeur de banque a eu envie d'accrocher sa cravate. Il s'est ouvert candidement à Jean-François Pauzé sur le sujet. Quand est venu le moment de partir, l'auteur lui a recommandé d'écouter la chanson *Les hirondelles* sur leur album *L'expédition*, qui venait de paraître à l'époque.

« Écoute ça, je pense que ça te ressemble un peu », lui a dit Jean-François avec une petite tape dans le dos.

Quand on le voyait
Il était parfait
Et avait la vie dont les gens rêvaient
Famille charmante
Et une entreprise plus que florissante
Une épouse aimante

Mais en vérité
Il était vidé
Et avait la fuite dans les idées
Tous les jours pourtant
Il remettait son masque souriant
Comme un paravent

L'image que l'on donne
N'est pas toujours la bonne
Volent, volent les hirondelles
Même les beaux plumages
Peuvent être une cage

Ça aura pris quatre ans et un album des Cowboys Fringants de plus avant que Pascal ose faire le grand saut dans le vide. Quand il a eu 35 ans, il a quitté son emploi à la banque. « J'avais l'impression que j'étais à la moitié de ma vie. Est-ce que j'allais continuer ou arrêter ? Je ne savais pas vers quoi je m'en allais. Je me suis dit que je devais avoir le courage de mes ambitions. C'est ce que dit la chanson *L'horloge* sur l'album *Que du vent*, qui est sorti en 2011. La musique de Jean-François m'a donné du courage. »

Il a vendu sa BMW. Il a arraché le gazon sur son terrain à Notre-Dame-des-Prairies. À la place, il a fait un immense jardin où il cultive maintenant des piments forts. Son fils aîné étudie l'horticulture au cégep pour travailler avec lui dans leur compagnie de produits dérivés du piment, Les Pimentiers. « C'est pas simple tous les jours. Je te parle et je suis en train de transplanter des plants dans le froid. Je ne peux plus partir "flauber" 1 000 $ dans un week-end à Tremblant comme avant. Mais je suis mon propre patron. »

Tous les matins en allant travailler sa terre, il se fait un devoir d'écouter la chanson cachée à la fin de la pièce *Léopold* sur l'album *Motel Capri*.

> *Dis donc camarade soleil*
> *Ne trouves-tu pas que c'est plutôt con*
> *De donner une journée pareille*
> *À un patron ?*

Et Pascal sourit.

Quand il avait 19 ans, Jean-François Pauzé partait faire de longues balades en voiture, sans destination précise, juste pour essayer de se sentir un peu mieux. Il écoutait la musique de Renaud, de Richard Desjardins et de Plume Latraverse pour oublier qu'il ne savait pas ce qu'il ferait de sa peau. « Je me plais à dire qu'ils m'ont sauvé la vie quand j'étais perdu. J'ai commencé à faire ce métier-là parce qu'il y a des chansons qui m'ont été utiles. »

Loin de s'accorder l'importance d'un neurochirurgien, le parolier des Cowboys Fringants pense tout de même que la musique peut servir de catalyseur, particulièrement lorsque les textes des chansons mettent en scène des personnages. « Comme je ne suis pas le chanteur du groupe – et j'en suis très heureux –, je ne suis pas obligé de parler de moi. Autant les chansons drôles que les chansons plus sérieuses peuvent servir d'exutoire à ceux qui les écoutent. Ça permet aux gens de voir qu'il y en a d'autres qui en arrachent. »

Curieusement, les banquiers semblent particulièrement réceptifs à ses textes. Car il y a eu Pascal Adam, mais aussi un autre homme à l'allure plus austère croisé dans une institution bancaire qui lui a dit : « Ta chanson *Bobo* m'a sauvé la vie. Je l'ai écoutée à tous les jours pendant mon *burnout* et ça m'a aidé à guérir. »

Même s'il a été surpris par cette déclaration, vu l'air sérieux de son interlocuteur, Jean-François sait que cette chanson a résonné pour beaucoup de personnes. « On ne l'a jamais jouée en spectacle, mais elle revient souvent dans les commentaires. Des gens me disent qu'elle les a aidés. J'étais moi-même dans une période de transition quand je l'ai écrite. C'est une ballade qui parle d'une période plus sombre avec une morale à cinq cennes à la fin, comme quoi on voit la lumière au bout du tunnel. C'est pas mon plus grand texte, mais bon, faut assumer ce qu'on écrit ! »

Pendant un bout de temps, le guitariste a pensé que sa plume pourrait peut-être servir à éduquer les gens. C'est le danger qui guette ceux qui écrivent des chansons engagées. « Ce sont les chansons les plus dures à écrire. Il y a une ligne très fine qui te sépare du donneur de leçons. J'en ai réussi des bonnes, mais avec le recul, je réalise qu'il y en a qui sonnaient comme "endossez mes idées, sinon vous êtes des caves". Sur l'album *La grand-messe*, par exemple, il y a *Lettre à Lévesque*. On reçoit des demandes pour la jouer en spectacle et c'est assuré que c'est non. » Aujourd'hui, quand il aborde des sujets plus sérieux dans ses textes, Jean-François se dit qu'il fait partager ses convictions et espère qu'il pourra ouvrir des esprits plutôt que d'essayer de convaincre à tout prix.

En fait, la seule chose pour laquelle les Cowboys Fringants se prennent au sérieux, c'est quand vient le temps de faire lever un party dans une salle de spectacle. « On a tellement de respect pour les gens qui se déplacent. Le dollar loisir est de plus en plus compté. Le vendredi soir, quand tu fais garder tes enfants, que tu t'en viens voir les Cowboys avec une gang de chums et que tu prends quelques verres, c'est un exutoire. Le groupe est mieux d'être en forme et on se fait un devoir d'en donner beaucoup. Ma blonde est professeure, je sais combien elle travaille fort et qu'elle est sous-payée pour le métier qu'elle fait. Je garde ça en mémoire. Les gens payent pour te voir. C'est important que tu donnes un bon *show*! C'est très gratifiant. »

Ainsi, même les chansons aux apparences légères ont leur raison d'être. « Par exemple, *Marine marchande* est une chanson à boire. On a tellement eu de témoignages de gens qui disaient : "Ostie que ça allait mal dans mon couple pis crisse que ça fait du bien cette toune-là. Moi aussi je sacrerais mon camp sur un navire!" »

Mettre des mots sur ce que vivent les gens. C'est un don qui n'est pas anodin. Personnellement, je dois admettre que la première fois que j'ai entendu la chanson *Octobre*, j'ai presque vécu une illumination. J'avais l'impression que quelqu'un me racontait ma vie. J'ai eu le réflexe de regarder derrière moi. Je me sentais observée (merci de ne pas me juger, je sais que c'est complètement absurde).

Y a tout l'temps quatre ronds d'allumés
Sur l'feu d'mes ambitions
À force de m'dépasser
J'me perds moi-même dans l'horizon
S'en faire pour tout et rien
Jouer du coude pour garder sa place
À vivre que pour demain
Je n'fais que survoler mes traces

Jean-François me confirme toutefois que je ne suis pas la seule. « On s'impose des vies de fous. C'est une chanson que les gens hurlent en spectacle. Ça vient du cœur, des tripes en fait. »

S'il est évident qu'il ne s'est pas inspiré de ma vie pour écrire *Octobre*, certains textes s'inspirent de rencontres avec des fans. C'est le cas de *La tête haute*, qui porte sur Laurent, un jeune homme de 19 ans qui souffrait d'un cancer des testicules en phase terminale. Tout souriant, il était monté sur scène avec eux lors d'un spectacle pour chanter un bout des *Étoiles filantes*. « Il m'avait tellement inspiré ! Tabarouette, comment tu peux être aussi serein en phase terminale, avoir un sourire permanent au visage, alors que nous, on a tout pour être heureux et on n'est pas tout le temps satisfaits de notre sort ? », s'exclame Jean-François. Laurent n'aura malheureusement pas eu la chance d'entendre *La tête haute*. « Sa famille est venue nous voir en concert après son décès et on l'a chantée pour eux. C'était très émouvant. »

Non, Jean-François Pauzé n'est pas neurochirurgien. Mais il y a quelque chose de presque chirurgical dans la précision de ses textes. Le parolier a la rigueur d'un spécialiste qui sait exactement quel mot employer pour décrire une situation, sans devenir démagogue ni trop racoleur. Sa chanson *Mon chum Rémi*, adressée à un ami suicidaire, est l'exemple parfait d'un sujet touchant traité avec juste ce qu'il faut d'humour et de sincérité.

Heille Rémi !
Fais pas d'conneries
J't'aime ben la face
Pis tu m'dois encore cinquante piasses

Si certains, comme Pascal Adam, ont trouvé le courage de changer de vie grâce à des chansons, d'autres, comme Jean-François quand il avait 19 ans, ont trouvé dans la musique une motivation pour continuer la leur.

SÉDATIF
MUSICAL

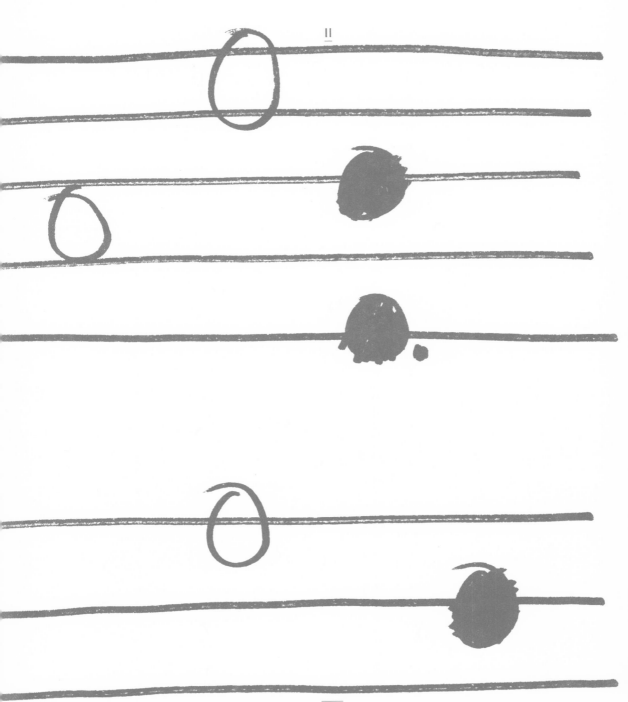

Il *est le premier album du pianiste Jean-Michel Blais. Encensé par le magazine* Time, *il compte parmi leurs 10 meilleurs albums de 2016, tous genres confondus. Les compositions du musicien québécois ont été écoutées des millions de fois sur les sites de musique en continu.*

Benedikt Stamm, 18 ans, marche nerveusement dans les rues de Hambourg, en Allemagne. Il a rendez-vous avec une importante étape de sa scolarité, le fameux Abitur, l'examen qui conclut les études au lycée. Ses mains sont moites, son rythme cardiaque s'accélère; il reconnaît les symptômes trop familiers de l'anxiété. C'est plus fort que lui, il remet en doute chaque idée qui sort de sa tête. Est-ce que ses réponses seront compréhensibles? Et si ce qu'il écrit est finalement complètement stupide? Il ne pourra pas être présent pour justifier ses réponses à sa professeure lors de la correction.

Quand il n'arrive pas à se raisonner, Benedikt sait que son meilleur sédatif se trouve à portée de main, dans son iPod. Instinctivement, il sélectionne le nom d'un artiste dans sa bibliothèque musicale bien garnie : Jean-Michel Blais. Comment la musique d'un pianiste québécois s'est-elle rendue dans les oreilles d'un adolescent allemand? Réponse : Internet.

Benedikt a fait cette découverte musicale il y a un an. Il ne se souvient plus trop pourquoi, mais il se sentait encore une fois stressé ce jour-là. Après avoir lu un article sur un site spécialisé en musique, il s'est installé avec sa paire d'écouteurs pour découvrir le premier album du pianiste. Instantanément, il s'est senti plus calme. Comme s'il prenait un pas de recul. La musique l'a remué d'une façon qu'il a de la difficulté à mettre en mots. « La musique est un langage en soi, c'est difficile à traduire, mais je dirais que les mots *sérénité* et *clarté* résument bien ce que j'ai ressenti. »

L'effet est encore le même en ce matin d'avril. Il se sent apaisé, comme si tout avait ralenti et qu'il pouvait reprendre le contrôle de son corps. Ses idées sont plus claires. Il peut faire cet examen qui lui ouvrira les portes de l'université.

Jean-Michel Blais a renié la musique pendant un bout de temps. « J'ai passé une année complète sans jouer, parce que je trouvais que c'était un truc de privilégiés, de bourgeois. J'ai pris mon sac à dos et je suis parti au Guatemala travailler avec des orphelins. J'avais besoin d'aider les gens concrètement », relate-t-il. Après avoir étudié au conservatoire de musique, il s'est orienté vers l'éducation spécialisée, jusqu'à l'enseigner au cégep Marie-Victorin.

Aujourd'hui, à 32 ans, il réalise que tout son parcours l'a mené précisément là où il devait être. « J'ai travaillé pour les cliniques en pédiatrie sociale du Dr Julien pendant presque trois ans, puis j'ai fait de la recherche. J'enseignais la relation d'aide. Bon, c'est certain que ma musique ne donnera pas du pain et un logis à un sans-abri dans Hochelaga... Mais de savoir que ma musique fait du bien, qu'elle touche, qu'elle apaise, ça me réconcilie un peu avec le fait de m'être écarté de mon autre métier. »

Un soir, après un concert à Ottawa, un homme est venu voir Jean-Michel pour le remercier. « Il m'a dit qu'il avait appris 14 mois auparavant qu'il avait le cancer et m'a expliqué que sa vie, depuis, était un enfer.

«

Il m'a dit :
"C'est la première fois ce soir
que je ne pense pas à ça et que
je passe une belle soirée. C'est la
première fois depuis 14 mois que
je vais bien psychologiquement."

»

Ça m'a scié les jambes en deux! J'ai l'impression que la musique lui a permis de prendre une pause de sa souffrance, de ses questionnements, de son anxiété. Ça m'a rappelé que c'est pour ça que j'ai continué à faire de la musique. »

Jean-Michel se fait un devoir de répondre à tous les gens qui lui écrivent. Ce contact est important pour lui. « C'est pas vrai que je vais me placer comme un demi-dieu sur une scène, que je vais devenir inaccessible. Certains le font et c'est correct, mais moi c'est pas ça qui me fait triper. Je pense que ça se sent sur mon album *II* : on entend mes colocs qui mangent, des enfants qui crient dehors. C'est pas pour rien, c'est pas juste pour faire beau. Je suis comme ça : je dors la fenêtre ouverte et j'aime être en contact avec les humains. »

La correspondance qu'il a entamée avec Benedikt Stamm résume exactement ce qu'il avance. « J'ai reçu ce message d'un adolescent qui semblait déprimé et qui avait beaucoup de questions. On s'est mis à échanger sur la philosophie de Schopenhauer, pour qui la musique est le meilleur art pour faire une pause dans la vie, qui autrement n'est que souffrance. Et il m'explique que ma musique lui fait ça. Qu'elle suspend le temps. C'est une responsabilité pour moi, mais c'est génial de sentir que tu peux avoir cet impact-là. »

De nature pessimiste, Benedikt ne croyait pas que le musicien répondrait à son message. « C'était devenu une sorte de rituel. Quand je rentrais de l'école, j'écoutais son album à répétition, pour décompresser. C'était presque une thérapie. Je devais simplement lui dire à quel point sa musique me faisait profondément du bien. Il devait être informé qu'il avait un effet sur une personne loin de lui, sans qu'il le sache. » Jean-Michel lui a renvoyé un long message dans lequel il lui disait à quel point sa missive l'avait touché. « Je sentais qu'il était vraiment intéressé par ce que je lui avais écrit, se rappelle Benedikt. Il m'a dit que j'étais une vieille âme dans un corps d'adolescent. »

Il faut donner raison au pianiste : ce Benedikt a effectivement des réflexions très profondes. Sur la question de l'utilité de la musique, ses idées sont claires : « Il y a une différence entre l'intention de l'artiste et l'effet qu'il a sur une personne. À la base, une œuvre doit être créée sans but précis, avec pour seul objectif d'exister. Mais quand quelqu'un écoute une pièce musicale, ça peut devenir thérapeutique, et tout à coup, ça devient utile. Il y a un but. Ce n'est pas intellectuellement réfléchi, c'est plutôt une réaction émotive de celui qui écoute. »

En attendant les résultats de son Abitur, Benedikt a déjà une idée du domaine dans lequel il veut étudier : la musicologie.

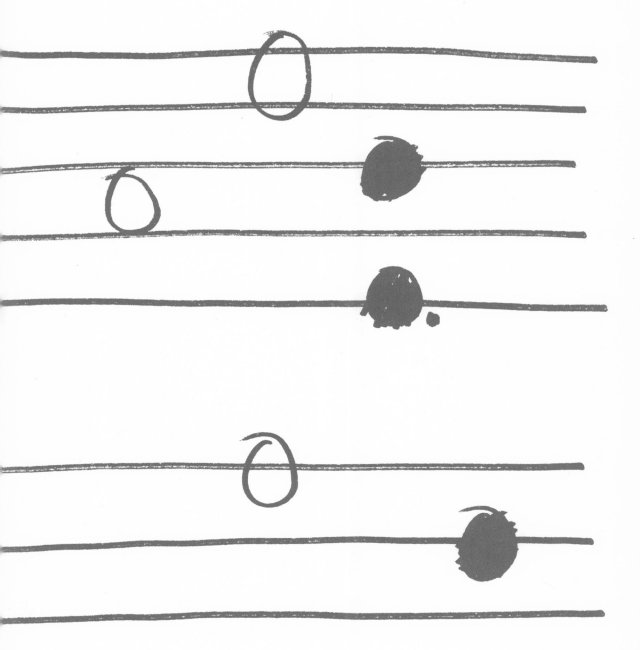

LES MOTS CLÉS

Mãn

Kim Thúy est une auteure québécoise d'origine vietnamienne. Son premier roman, Ru, *lui a valu le Prix du gouverneur général et a été traduit dans une quinzaine de langues.* Mãn, *son deuxième roman, raconte une histoire d'amour qui doit rester cachée.*

Kim Thúy se souvient de cette dame élégante qui n'avait pas enlevé son manteau pendant une causerie organisée dans une librairie montréalaise. C'est le genre de détail qui capte parfois l'attention des auteurs. De cette dame se dégageait une urgence sereine, celle qui habite ceux qui savent qu'ils n'ont plus de temps à perdre. À la fin de la séance, elle s'est approchée de Kim et lui a dit d'une voix posée :

«

J'ai une histoire à vous raconter.

»

Mars 2013. Hélène, 60 ans, ferme la porte de sa maison de campagne, le cœur à l'envers. Elle part pour le week-end à Montréal, mais elle sait au fond d'elle-même que ce départ en cache un autre, plus symbolique. Elle est en train de quitter tranquillement une relation amoureuse qui manque du principal carburant : l'amour.

Pour chasser les sombres pensées, elle passe la soirée avec sa bonne amie. Elles ont prévu aller au cinéma, voir un documentaire sur le peintre Edward Hopper. En attendant sa comparse, Hélène fait la file pour entrer dans la salle de projection. Elle entend alors un homme appeler son prénom; il s'avance vers elle d'un air ahuri. Elle le reconnaît immédiatement. Ça fait pourtant 33 ans qu'elle ne l'a pas vu.

Luc. L'amour de ses 25 ans.

Quand son amie arrive, elle peine à trouver Hélène, complètement recouverte, cachée dans les bras d'un homme plus grand qu'elle. Quand l'étreinte se desserre, les présentations officielles sont effectuées. Hélène présente son amie. Et Luc présente sa conjointe.

L'histoire ne s'arrête pas là où elle aurait pu. Une carte d'affaires donnée, un premier rendez-vous à l'abri des regards, l'étincelle des retrouvailles qui se transforme en un feu passionnant, brûlant. Car ça brûle d'aimer quand on sait que cet amour blesse ceux autour.

À la fois amoureuse et malheureuse dans cette liaison interdite, Hélène se réfugie quelques semaines plus tard dans une librairie. Plus jeune, son amour boulimique des livres a souvent calmé ses angoisses. Au hasard, elle choisit un roman qui s'intitule *Mãn* et l'ouvre à la page 106.

> *Comme Luc, j'avais un mariage parfait. Jusqu'à ce qu'il dégage mes cheveux avec le dos de sa main et hume le côté de mon cou, en me demandant de ne pas bouger, sinon il tomberait, sinon il hurlerait. La seule trace de Luc que j'ai pu rapporter à Montréal était celle de ses mains sur mes yeux qu'il avait recouverts pour que je ne voie pas ses larmes couler en silence dans le stationnement de l'aéroport.*

Au-delà du nom du personnage, c'est le cérémonial déchirant des adieux qui la happe. Les gestes posés dans l'intimité qu'elle reconnaît. Complètement troublée, elle achète le livre. Elle texte Luc pour lui raconter ce qu'elle vient de vivre. Une heure plus tard, il lui écrit : *Je l'ai lu et je pleure.* Il était parti du travail pour aller acheter *Mãn*.

Le soir, Hélène poursuit sa lecture.

Page 136.

> *La dernière fois que nous nous sommes vus à Paris, alors que nous fermions ma valise à la hâte, Luc m'a demandé : « Si je me présentais à ta porte la semaine prochaine, que dirais-tu ? » Par réflexe, sans même avoir pris le temps de suspendre mes gestes, j'ai répondu par un seul mot : « Catastrophe », en l'embrassant. C'était une réelle question et je ne l'ai pas comprise. J'ignorais que beaucoup de larmes avaient coulé chez lui, que des mots indicibles avaient été lancés et des blessures, infligées. Quand j'ai finalement saisi l'étendue de sa question et la portée de ma réponse, il était déjà trop tard.*

L'histoire d'amour de *Mãn* ne finit pas comme un conte de fées. Mais plutôt que le découragement, Hélène sent comme une vague de confiance l'envahir. « J'ai eu l'impression que le livre me disait : "Ça va aller. Il n'y en aura pas de catastrophe et vous allez être ensemble." Et c'est ce qui est arrivé. »

Après quelques mois de transition, Hélène et Luc se sont choisis et ont mis fin à leurs relations respectives. Ils se sont fiancés à l'âge de 64 ans.

Kim Thúy ne s'attendait pas à entendre un tel récit en lien avec son roman. Cet élan de romantisme l'a réconciliée avec le destin douloureux qu'elle avait réservé à ses personnages. Hélène tenait à lui faire partager la lecture qu'elle en avait faite. « Il faut dire aux artistes et aux écrivains qu'on les apprécie, que leur œuvre est signifiante. Même si on croit qu'ils le savent déjà et que c'est inutile. C'est pas vrai ! Comme dans notre vie intime, on aime ça que notre amoureux nous dise qu'il nous trouve belle même si ça fait 10 ans qu'il nous voit tous les matins. Et on ne sait jamais si c'est la journée où ils ont besoin de l'entendre. »

Après avoir raconté son histoire, Hélène s'est empressée de quitter la librairie pour aller rejoindre son homme. Parce qu'ils n'ont plus de temps à perdre. « On a une chance inouïe. Il faut s'en souvenir. Quand la personne que tu aimes accepte d'être aimée par toi, c'est formidable. Pour moi, l'amour, c'est un carburant. Quand je lis un bon livre, je reçois de l'amour de l'œuvre et j'en ai à donner aux gens autour. Ça me nourrit. Si j'ai mon amoureux et mes livres, je n'ai besoin de rien d'autre. »

Kim a laissé Hélène aller rejoindre son Luc en lui faisant promettre de venir le lui présenter lors du lancement de son prochain livre.

Kim Thúy est pétillante et généreuse. Tous ses lecteurs qui l'ont croisée savent qu'elle est toujours disposée à discuter, longtemps ! C'est qu'elle s'étonne encore de la lecture que les gens font de son œuvre. « Je n'ai jamais sous-estimé le rôle de l'art dans l'éducation de quelqu'un. C'est la chose qui rend tout le reste logique ou compréhensible. Mais je ne pensais pas que moi, je pouvais avoir ce poids-là. »

Depuis la parution de *Ru*, elle se rend compte que ses mots prennent des dimensions insoupçonnées. Humble, Kim pense que ce sont surtout les lecteurs qui ont un rôle à jouer dans l'effet qu'un livre va avoir sur leur vie.

«

Souvent, ce n'est pas que
mon livre est vraiment bon.
Il faut qu'il soit lu par des gens
disponibles, qui sont prêts, qui
veulent, qui cherchent le même
sentiment ou la même image.
Quand ils tombent dessus,
ils pensent que c'est mon livre
qui est bon, mais en fait
ce sont eux.

»

Un auteur est là pour donner les mots clés, selon Kim Thúy. L'histoire d'amour d'Hélène et Luc l'illustre bien, tout comme cet autre témoignage qu'elle a reçu il y a quelques années. Une femme lui a parlé d'un dicton vietnamien qui apparaît à la page 50 de *Ru* : *Seuls ceux qui ont les cheveux longs ont peur, car personne ne peut tirer les cheveux de celui qui n'en a pas.* Kim l'utilisait pour démontrer qu'en tant que réfugiés qui n'avaient plus rien, les membres de sa famille ne pouvaient plus craindre de perdre quelque chose. Il y a une force à ne rien posséder. Mais cette femme souffrait d'un cancer.

« Elle craignait beaucoup la perte de ses cheveux, raconte l'auteure. Elle a apporté le livre à sa séance de chimiothérapie. Il y avait d'autres personnes dans la salle et, évidemment, personne n'est joyeux là-bas, ce n'est pas un club social. Elle est tombée sur cette page pendant sa séance. Ça l'a bouleversée, dans le sens que ça a changé la vision qu'elle avait de la perte de ses cheveux. Elle a brisé le silence et elle a lu ce passage à tout le monde dans la pièce. Et une conversation s'est amorcée entre eux. »

En racontant l'anecdote, Kim se rend compte qu'il y a longtemps qu'elle n'a pas croisé cette lectrice qui lui donnait des nouvelles de sa rémission. « Je m'inquiète un peu. *She is on my mind*. J'espère qu'elle va bien. »

Au fil du temps, Kim Thúy est aussi devenue une porte-parole informelle des immigrants. Un rôle qu'elle assume avec fierté. « Jusqu'à maintenant, personne ne m'a reprise en disant : "Hé, arrête de parler de nous, tu comprends rien." Ça donne un sens à la voix qu'on m'accorde, sinon c'est vide que je sois connue, qu'on me prenne en photo, qu'on m'écoute parler. Là, je me sens un peu plus utile. Quand je suis arrivée au Québec, je n'avais pas de voix, pas de langue. On vient de réalités complètement différentes. On ne peut pas blâmer quelqu'un de ne pas comprendre ce qu'on a vécu. Il ne peut pas comprendre ! On ne peut pas imaginer que quelqu'un dorme directement sur la terre, en respirant à côté d'un trou rempli d'excréments. On ne peut pas imaginer ça. Ça prend quelqu'un qui l'a vécu pour nous l'expliquer. »

Quand elle s'adresse à des enfants immigrants lors de ses conférences dans les écoles primaires, Kim insiste pour leur dire qu'ils peuvent tout faire.

« "Si moi j'ai réussi, vous pouvez réussir." Il faut leur dire. Des fois, la phrase d'une étrangère peut durer cinq secondes mais changer notre vie. »

Une jeune caissière d'origine haïtienne dans un café Tim Hortons lui a confié qu'elle étudiait en soins infirmiers parce qu'elle se souvenait d'un discours motivant que Kim avait fait à son école primaire de Côte-des-Neiges. « Si elle avait été malade ce jour-là et qu'elle ne m'avait pas entendue, elle aurait probablement suivi la même voie. Mais, des fois, ça prend quelqu'un qui dit : *"Oui, ma belle, go !"* Des fois, on cherche juste quelqu'un qui va nous dire ce qu'on savait déjà. Quelqu'un qui approuve. »

Comme la bonne phrase dans un livre qui nous permet de faire le grand saut, en se disant, comme Hélène : « Il n'y en aura pas de catastrophe. »

Papi-Banane

Papi-Banane – Michèle Boulay

Merci à toutes les personnes qui m'ont confié leur histoire. Je suis honorée d'avoir pu broder autour de vos puissants récits.

Merci à Monic Néron, ma première lectrice.

Merci à Martin Langlois de m'avoir dit il y a cinq ans : « Tu devrais écrire un livre. »

Merci à Tanya Lapointe de m'avoir confirmé que c'était une bonne idée.

Merci à Louise Mireault, Michelle Desrosiers et Lise Lapointe pour leur aide précieuse.

Merci à Emilie Villeneuve et Antoine Ross Trempe d'avoir embarqué dans ce projet un peu abstrait au départ.

Merci à Nouvelle Administration pour la direction artistique et l'écrin magnifique qui met en valeur les histoires que je raconte.

Évidemment, merci à mon amoureux Greg d'avoir enduré toutes les fois où mes phrases commençaient par : « Dans mon livre... »

Finalement, merci à vous de propager l'idée que l'art a un impact profond dans nos vies.